COMPILATION
PASSEPEUR
TRIO TERREUR N° 5

Créé par Richard Petit

Dépôt légal : Bibliothèque et Archives nationales du
Québec, 1er trimestre 2009
ISBN : 978-2-89595-377-7
Imprimé au Canada

Gouvernement du Québec - Programme de crédit d'impôt
pour l'édition de livres - Gestion SODEC

Boomerang éditeur jeunesse remercie la SODEC pour
l'aide accordée à son programme éditorial.

Nous reconnaissons l'aide financière du gouvernement du
Canada par l'entremise du Programme d'aide au
développement de l'industrie de l'édition (PADIÉ) pour nos
activités d'édition.

edition@boomerangjeunesse.com
www.boomerangjeunesse.com

LA CHOSE
DANS MA CHAMBRE

LA CHOSE
DANS MA CHAMBRE

Texte et illustrations
de
Richard Petit

Éditeur jeunesse

TOI!

Tu fais maintenant partie de la bande des
TÉMÉRAIRES DE L'HORREUR.

OUI ! Et c'est toi qui as le rôle principal dans ce livre où tu auras bien plus à faire que de tout simplement... LIRE. En effet, tu devras déterminer toi-même le dénouement de l'histoire en choisissant les numéros des chapitres suggérés afin, peut-être, d'éviter de basculer dans des pièges terribles ou de rencontrer des monstres horrifiants.

Aussi, au cours de ton aventure, lorsque tu feras face à certains dangers, tu auras à jouer au jeu des **PAGES DU DESTIN...** Par exemple, si dans ton aventure tu es poursuivi par une espèce de monstre dangereux et qu'il t'est demandé de TOURNER LES PAGES DU DESTIN afin de savoir si ce monstre va t'attraper, la première chose que tu dois tout de suite faire, c'est placer ton doigt tout tremblotant ou un signet à la page où tu es rendu pour ne pas perdre ta page, car tu auras à y revenir. Ensuite, SANS REGARDER, tu fais glisser ton pouce sur le côté de ton Passepeur en faisant tourner les feuilles rapidement pour finalement t'arrêter AU HASARD sur l'une d'elles.

Maintenant, regarde au bas de la page de droite. Il y a trois pictogrammes. Pour savoir si le monstre t'a attrapé, il n'y en a que deux qui te concernent, celui de l'espadrille et celui de la main.

Pour le moment, tu ne t'occupes pas des autres. Ils te serviront dans d'autres situations. Je t'explique tout un peu plus loin.

Comme tu as peut-être remarqué, sur une page il y a une espadrille, et sur la suivante, il y a une main et ainsi de suite, jusqu'à la fin du livre. Si, par chance, en tournant les pages du destin, tu t'arrêtes au hasard sur le pictogramme de l'espadrille, eh bien bravo ! tu as réussi à t'enfuir. Là, retourne au chapitre où tu étais rendu. Il t'indiquera le numéro de l'autre chapitre où tu dois aller pour fuir le monstre. Si tu es le moindrement malchanceux et que tu t'arrêtes sur le pictogramme de la main, eh bien, le monstre t'a attrapé. Là encore, tu reviens au chapitre où tu étais, mais tu auras par contre à te rendre au chapitre indiqué où tu tomberas entre les griffes du monstre.

Lorsqu'on te demandera de TOURNER LES PAGES DU DESTIN, tu n'utiliseras, selon le cas, que les DEUX pictogrammes qui concernent l'événement. Voici les autres pictogrammes et leur signification...

Pour déterminer si une porte est verrouillée ou non :

 Si tu tombes sur ce pictogramme-ci, cela signifie qu'elle est verrouillée ;

 si tu t'arrêtes sur celui-ci, cela signifie qu'elle est déverrouillée.

S'il y a un monstre qui regarde dans ta direction :

 Ce pictogramme veut dire qu'il t'a vu ;

 celui-ci veut dire qu'il ne t'a pas vu.

En plus, dans cette aventure, vous aurez besoin de votre pistolet à « gloub ». Ce pistolet est un vaporisateur de lave-vitre vidé de son contenu que vous avez rempli de « gloub » : un liquide gluant, très collant, qui peut vous débarrasser les monstres et les fantômes en un rien de temps. Cependant pour atteindre ces créatures, tu auras à faire preuve d'une grande adresse au jeu des pages du destin. Comment ? C'est simple : regarde dans le bas des pages de gauche, il y a un monstre et une éclaboussure de « gloub ».

Plus tu t'approches du centre du livre, plus l'éclaboussure de « gloub » se rapproche du monstre. Lorsque dans ton aventure, tu fais face à un monstre et qu'il t'est demandé d'essayer de l'atteindre avec ton pistolet à

« gloub », il te suffit de tourner rapidement les pages de ton Passepeur en essayant de t'arrêter juste au milieu du livre. Plus tu te rapproches du centre du livre, plus la « gloub » se rapproche du monstre. Si tu réussis à t'arrêter sur une des cinq pages centrales portant cette image...

... eh bien, bravo ! Tu as visé juste et tu as réussi à atteindre de plein fouet le monstre...

Ta terrifiante aventure débute au chapitre 1. Et n'oublie pas : une seule finale te permet de terminer... *La chose dans ma chambre.*

1

« Croix de bois, croix de fer, si je mens je vais en enfer, jures-tu à tes parents. Je vous le dis, il se passe des choses vraiment étranges dans ma chambre... SURTOUT LA NUIT !

— Tu nous casses les oreilles avec tes histoires de fantômes, gronde ton père sous le regard réprobateur de ta mère. Je t'ai dit un million de fois que les fantômes n'existent pas.

— Écoute papa, le supplies-tu. Pendant que je dormais, quelque chose a mangé les biscuits que j'avais laissés sur mon pupitre.

— Peut-être une souris ? Essaie-t-il de comprendre. Comme chez grand-mère, tu te rappelles lorsque...

— Ah oui ! Alors comment expliques-tu que mon verre de lait ait été bu aussi ? » l'interromps-tu, les mains sur les hanches.

Voyant qu'il n'y avait aucune explication logique, il saisit la télécommande, ouvre le poste de télé, puis s'exclame impatiemment : « Il est grand temps d'aller te coucher, embrasse ta mère et ouste ! Au dodo... »

Arborant une moue boudeuse qui te ferait gagner le premier prix d'un concours de grimaces, tu t'élances vers ta chambre au chapitre 12.

2

Jean-Christophe allume une bougie, la place sur ta commode devant le miroir et éteint toutes les lumières...

« C'est à la lueur d'une bougie que les miroirs nous dévoilent leur secret », dit-il en prenant place à tes côtés.

Tous les trois assis sur le tapis, les bras enroulés autour de vos jambes, immobiles, vous fixez le miroir.

Le feu de la bougie fait danser sur les murs les ombres sombres et macabres des dragons et des gargouilles.

Marjorie semble un peu craintive.

Au moment où tu lui prends la main pour la rassurer, une forme lumineuse se dessine sur la surface du miroir. Vous reculez en rampant sur le sol pour vous cacher derrière ton lit.

La forme prend lentement les traits d'un effrayant visage bleuté aux très grands yeux verts, celui de... L'ESPRIT DU MIROIR !

*Avant de paniquer, **TOURNE LES PAGES DU DESTIN** pour savoir si ce spectre va vous apercevoir...*

S'il ne vous voit pas, allez au chapitre 6.
Par contre, s'il vous voit, découvrez la suite au chapitre 55.

Aussitôt dans le vortex, tout se met à tourner autour de vous. Le plancher disparaît graduellement, mais vous ne tombez pas. Autour de vous, des nuages sombres et secoués par la foudre flottent dans toutes les directions. C'est comme si vous étiez en plein cœur d'un orage. Les nuages se dissipent, et vous vous retrouvez dans un long corridor bordé de squelettes tout blancs portant des vêtements en lambeaux. Celui à ta gauche a encore un œil dans un de ses orbites. Tu jurerais qu'il t'observe...

Suivi de tes amis, tu avances dans ce corridor qui ne semble jamais vouloir finir... jusqu'au chapitre 95.

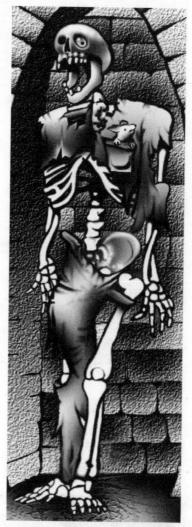

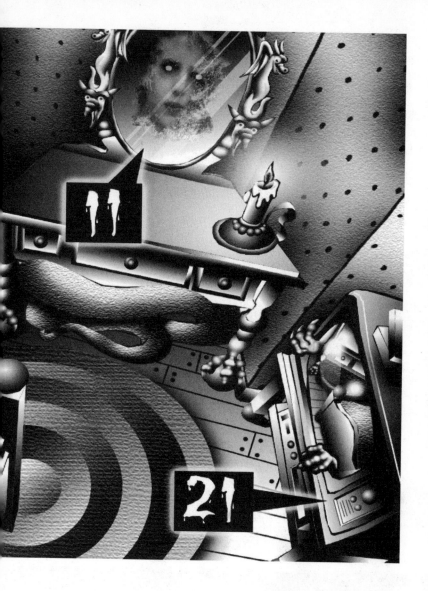

5

Tu prends la tête du lit à deux mains.

« À trois, je tire et vous soulevez ! commande Jean-Christophe. Allez ! Un, deux... TROIS... »

Difficilement, vous réussissez à faire basculer ton lit, qui grince de son vieux bois en tombant sur le côté, Marjorie se penche et regarde, bouche bée.

« Et puis, y a-t-il un passage ? lui demande son frère, qui s'est retrouvé enseveli sous les couvertures pendant la manœuvre. Y a-t-il un passage ? répète-t-il en gesticulant pour se dégager.

— Ça n'a pas de bon sens ! s'étonne-t-elle. Je n'ai jamais vu autant de moutons de poussière. Ça remonte à quand la dernière fois que tu as fait le ménage de ta chambre ? Des jours ? Des semaines ? »

Entre les amoncellements de poussière, vous remarquez un trou de serrure. Tu te penches et écartes du revers de la main la saleté. Tu découvres les pourtours d'une trappe dans le plancher.

Pour savoir si elle est verrouillée TOURNE LES PAGES DU DESTIN...

Si la trappe n'est pas verrouillée, ouvre-la au chapitre 39.
Si par contre elle l'est, rends-toi au chapitre 59.

6

Dans ta chambre, le silence est tel que tu entends en sourdine le poste de télé du rez-de-chaussée. Si Marjorie pouvait parler, elle dirait comme toujours : « C'est tellement silencieux qu'on pourrait entendre un vampire sucer le sang d'une de ses victimes... »

Les mains jointes comme si tu priais, tu espères, immobile, que ce hideux visage retourne le plus vite possible d'où il vient.

De ses grands yeux verts et exorbités, l'esprit du miroir fait le tour de ta chambre plusieurs fois sans remarquer votre présence ni trouver trace de la personne qui l'aurait rappelé des profondeurs de son miroir. Déçu, il fronce ses sourcils et gonfle ses grosses joues pour finalement souffler la bougie.

Maintenant plongés dans le noir, vous restez là pendant un long moment, sans même oser bouger. Au bout d'une minute et quelques miettes de seconde, tes yeux se sont un peu adaptés à la noirceur et tu peux un peu mieux distinguer les choses autour de toi.

Tu te permets de lever la tête lentement par-dessus ton lit. Sur le miroir de ta commode, plus rien. Le spectre a disparu. Marjorie marche à quatre pattes, tend le bras et pousse sur l'interrupteur.

Allez au chapitre 75.

Qu'est-ce qui se passe ?

Tu veux en avoir le cœur net. Tu retournes t'habiller et tu files vers le garage pour prendre ton vélo. Juste comme tu y arrives, tu te rappelles que ton père est parti pour l'école avec lui. Désemparé, tu plonges les mains dans tes poches pour y prendre le trousseau de clés de ton père. Tu regardes la voiture et tu te sens soudain attiré vers elle. Tu ouvres la portière, tu t'installes derrière le volant et tu fais démarrer le moteur.

VROOUUUM !

Les deux mains appuyées sur le volant, tu pousses le levier de vitesses et tu démarres...

« AYE ! hurles-tu, incapable de contrôler tes gestes. Qu'est-ce qui se passe ? Je ne peux pas conduire, je ne sais même pas comment faire... »

Pourtant, comme si tu l'avais toujours fait, tu roules allègrement sur la rue Latrouille jusqu'à l'école. Arrivé dans le stationnement, tu verrouilles la portière.

« Je ne veux pas savoir comment j'ai réussi à conduire l'auto de papa, te murmures-tu. Je préfère ne pas le savoir. »

Tu entres à l'école par le chapitre 83.

8

Jean-Christophe essaie de franchir le premier le miroir ovale, mais **BONG** ! Il se bute à du verre solide.

« Ce n'est pas le bon ordre, proteste Marjorie. Je me tue à te dire que c'est moi qui suis passée la première.

— NON ! C'est moi, affirmes-tu. Je m'en souviens...

— J'te dis que c'est moi, te répète-t-elle.

— Ce n'est plus la peine de vous casser la tête, annonce la revenante. Il est trop tard. Le miroir vient de se refermer à tout jamais. »

Vous vous regardez tous les trois comme si la fin du monde était arrivée.

« Oui ! reprend-elle comme si elle pouvait lire dans vos pensées. Pour vous, c'est bien la fin du monde. Et le début de votre vie... DANS UN AUTRE MONDE ! »

FIN

Marjorie pousse doucement sur la porte de ta chambre qui s'ouvre en grinçant.

CRIIIIII !

Tu fermes les yeux en signe de désespoir...

« Il va falloir être plus discret qu'un courant d'air, dis-tu à tes amis, car si mes parents s'aperçoivent que vous êtes ici, ça va être la cata, la catastrophe ! »

Vous sortez tous les trois et vous descendez l'escalier le plus silencieusement possible jusqu'au rez-de-chaussée.

« C'est ici que ça se complique, murmures-tu à l'oreille de Jean-Christophe. L'entrée du sous-sol se trouve dans la cuisine. Et pour se rendre à la cuisine, il faut passer devant l'entrée du salon où ton père regarde la télé. »

Vous avancez sur la pointe des pieds en longeant le mur.

*Pour savoir si ton père va vous apercevoir, **TOURNE LES PAGES DU DESTIN.***

S'il vous a vus, allez au chapitre 90.
Si vous êtes chanceux et qu'il ne vous a pas vus, retrouvez-vous au chapitre 109.

10

Après avoir tourné quelques secondes dans le remous du vortex, tu te retrouves, avec Jean-Christophe toujours accroché à toi, au milieu d'une curieuse grotte rougeâtre.

Marjorie est là, le regard hagard et toute tremblotante. À genoux sur une sorte de gros bourrelet rugueux, tu sondes les profondeurs de la grotte. Elles semblent interminables.

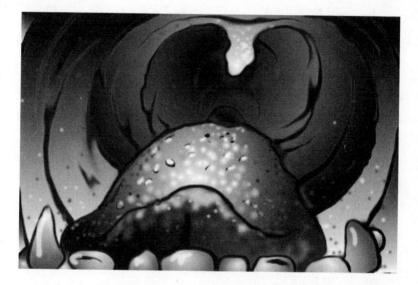

Observe cette illustration, puis rends-toi au chapitre 105.

Debout, les mains appuyées sur tes hanches, tu réfléchis.

« Par où allons-nous commencer ? murmures-tu.

— Le miroir de ta vieille commode ? te montre Jean-Christophe.

— Qu'est-ce qu'il a ce miroir ? lui demandes-tu. C'est un très vieux miroir, une antiquité selon mon père ; il était ici lorsque nous avons emménagé dans la maison. Ma mère dit qu'il doit valoir très cher. Je n'aime pas toutes ces sculptures de dragons et de gargouilles tout autour. Je t'avoue que tout cela m'effraie un peu lorsque je ferme les lumières le soir.

— Habituellement, on retrouve ce genre de sculpture à l'extérieur des grandes églises comme la cathédrale Notre-Dame de Paris, réfléchit Marjorie.

— J'ai lu dans l'*Encyclopédie noire de l'épouvante* que certains vieux miroirs semblables à celui-ci cachaient de l'autre côté de leur surface brillante des choses étranges, un autre monde, explique Jean-Christophe.

— Tu crois que la Chose pourrait provenir de ce miroir ? lui demandes-tu, incrédule.

— Il n'y a qu'une façon de le savoir, te répond-il. Nous allons faire un test... »

Rends-toi au chapitre 2.

12

Couché sous les couvertures, tu cherches le sommeil en roulant comme un rouleau à pâte sur ton lit. Tu t'arrêtes lorsque soudain, comme dans un cauchemar, tu sens la porte de ton placard s'ouvrir, lentement. Ensuite le plancher craque et tu entends des grognements. **GRRR !** **GRRR !** Tu n'oses pas bouger, mais c'est plus fort que toi. Tu ouvres un œil, légèrement.

Ton cœur cesse de battre lorsque tu remarques une silhouette au pied de ton lit... C'EST LA CHOSE ! Croyant qu'elle va se jeter sur toi en portant ses horribles mains à ta gorge, tu soulèves les couvertures jusque sous ton nez. Elle attrape plutôt ton devoir de math et le déchire en mille morceaux. Deux heures de travail perdues. Ensuite, elle lance les confettis de papier dans les airs et disparaît...

Sans attendre, tu sautes sur le téléphone, et tes amis des Téméraires de l'horreur accourent aussitôt. Avec leur sac à dos rempli d'équipement, Marjorie et son frère Jean-Christophe grimpent sur le toit du garage et se glissent discrètement dans ta chambre par la fenêtre.

« Quoi ! Tu as eu la visite de la Chose ! Dans ta propre chambre ! répète Jean-Christophe qui n'en revient pas, après avoir entendu ton histoire.

— C'est une vieille maison que tu habites, elle cache certainement un tas de passages secrets, soupçonne Marjorie. Il faut chercher partout... »

Avec tes amis, fouille ta chambre au chapitre 4.

13

Jean-Christophe hésite un moment, puis il ouvre la porte. Vous enlevez à la hâte tout ce qui se trouve dans le placard pour découvrir avec stupéfaction qu'il y a au plafond une trappe faite de vieilles planches.

« INCROYABLE ! t'exclames-tu. Papa a cherché longtemps cette porte qui mène au grenier. Elle était ici, cachée dans mon placard. »

Tu pousses de toutes tes forces sur les planches disjointes qui s'écartent dans un nuage de poussières.

Tu fermes les yeux et tu portes la main à ta bouche.

Marjorie éternue ATCHOUM ! ATCHOUM ! Et se met à balayer avec ses mains la poussière qui tombe partout autour d'elle.

Le nuage dissipé, tu passes la tête dans l'ouverture, jusqu'à la hauteur des yeux.

Il fait sombre, mais tu réussis à distinguer tout un bric-à-brac de vieilles choses recouvertes de toiles d'araignée et de poussière.

Tu poses le pied sur le cadre de porte et tu réussis à t'introduire jusqu'au grenier. Étendu sur le ventre, tu tends les mains à tes amis pour les hisser à leur tour.

Vous vous retrouvez au chapitre 35.

14

OUI ! le placard...

C'est bien connu, c'est l'endroit de prédilection des monstres et des fantômes. Mais il faut vous dépêcher, car minuit approche, l'heure où les créatures de la nuit se réveillent...

Tu as ouvert très souvent la porte de ton placard sans jamais avoir peur, mais cette fois-ci, c'est très différent. Tu es si effrayé que tu as l'impression d'entendre une voix dans ta tête qui te conseille d'agir pendant qu'il est encore temps...

Tu avances lentement. Tes gestes sont si lents, que derrière toi, tes amis commencent à montrer des signes d'impatience. Jean-Christophe tape du pied et Marjorie regarde au plafond en se tournant les pouces. Tu prends une profonde inspiration et tu poses la main sur la poignée. Tu te rappelles tout à coup que, lorsque l'heure du coucher arrive, ta mère s'assure que toutes les portes de la maison sont verrouillées... TOUTES !

Qu'est-ce que vous allez faire si elle a verrouillé la porte de ton placard ? Enfin, il n'y a qu'une façon de le savoir...

TOURNE LES PAGES DU DESTIN...

Si elle n'est pas verrouillée, ouvrez-la au chapitre 31.
Si par malheur elle l'est, cherchez une autre façon de l'ouvrir en allant au chapitre 112.

15

Tu insères la cassette dans le magnétoscope et tu le mets en marche. Tout de suite la neige disparaît pour faire place au terrifiant visage de... LA CHOSE ! Tu recules sans parler en pointant du doigt l'écran de la télé. Jean-Christophe te regarde sans trop comprendre. Au bout d'un moment, tu réussis à émettre quelques mots :

« C'est elle... bafouilles-tu. La Chose, c'est elle...

— Arrête de niaiser ! te supplie Marjorie. Ce n'est qu'un film, continue-t-elle, comme n'importe quel autre film d'horreur. »

Jean-Christophe se met soudain à rire nerveusement et cherche à comprendre...

« Je te dis que c'est elle, essaies-tu de lui faire comprendre. Croix de bois, croix de fer, si je mens je vais en enfer », ajoutes-tu dans un débit rapide.

Marjorie se lève d'un bond et met le magnétoscope sur " pause ". Vous étudiez tous les trois l'image figée. C'est bien de la Chose. Ce qui t'étonne le plus, c'est que derrière elle tu reconnais ton pupitre, ton bureau, ta commode et ton lit...

« POILS DE LOUP-GAROU ! t'écries-tu en t'apercevant à l'écran. Ce film a été tourné dans ma propre chambre... PENDANT QUE JE DORMAIS ! »

Tu trouveras la suite au chapitre 82.

La main squelettique t'attrape et te tire vers le vortex. Marjorie et Jean-Christophe te saisissent spontanément à bras le corps.

Une autre main osseuse jaillit et attrape Marjorie. Les deux pieds appuyés contre le mur, tu pousses très fort pour ne pas être attiré.

L'épaule de Marjorie touche le vortex et presque aussitôt... ELLE S'ENGOUFFRE !

L'étreinte de la main squelettique sur ton bras se fait de plus en plus forte. Vous luttez tous les trois en vain. Dans le remous, Marjorie disparaît rapidement, si bien que tu ne vois plus que sa tête. Dans un geste de désespoir, Jean-Christophe s'agrippe à ton pupitre. Ta petite lampe de lecture bascule et tombe sur le plancher.

Sous le choc, l'ampoule éclate, **POUF** !

Dérangé par le bruit, ton père crie du salon...

« C'EST BIENTÔT FINI LÀ-HAUT ? »

Tu voudrais bien lui hurler ta détresse, mais il n'y a pas un son qui sort de ta gorge desséchée. Marjorie a complètement disparu de l'autre côté du mur. Tu regardes avec stupéfaction Jean-Christophe en te disant qu'il n'est pas question de la laisser seule.

Comme s'il avait lu dans tes pensées, il se laisse entraîner tout comme toi dans le vortex jusqu'au chapitre 10.

17

Tu te concentres maintenant sur les gladiateurs et sur l'arène...

« Rien n'est vrai ! Rien n'est réel, murmures-tu les yeux fermés. Non rien... »

Les gladiateurs deviennent aussitôt transparents et disparaissent. Ensuite, tout se met à tourner autour de toi. Tu sens tout à coup tes pieds s'enfoncer dans le sable. Très vite le sable atteint tes épaules et ton menton. Tu fermes les yeux. Autour de toi, le calme revient. Tu secoues la tête et tu ouvres les yeux. Tu es un peu étourdi, mais le fait d'être revenu dans ta chambre te fait vite oublier ce petit malaise. Vous regardez tous les trois le vortex. Il rétrécit à vue d'œil et derrière lui apparaît le mur avec son papier peint.

« Sortir tous les trois vivants de l'arène, vient de conclure Jean-Christophe. C'était ça la clé pour sceller et fermer pour toujours le vortex.

— Crois-tu que la Chose provenait du vortex ? te demande Marjorie. Est-ce fini maintenant ?

— J'ai vu plusieurs créatures derrière cette porte, mais aucune ne ressemblait à la Chose qui vient me hanter tous les soirs, lui confies-tu. Il faut continuer à chercher... »

Retournez au chapitre 4 et faites un nouveau choix.

Ça ne peut plus durer comme ça. Je ne veux pas être un adulte, pas maintenant. J'veux encore jouer à des jeux vidéos et m'amuser dehors avec mes amis...

Tu regardes Marjorie. Elle est assise à sa place habituelle tout au fond de la classe. Elle n'a pas l'air de se rappeler quoi que ce soit ni de comprendre ce qui se passe en toi. Elle et Jean-Christophe n'ont sans doute pas traversé l'autre côté du miroir avec toi.

« À LA RÉCRÉ ! songes-tu. Oui, à la récréation je pourrais essayer de tout leur expliquer... Mais, tout bien réfléchi, qui pourrait croire une telle histoire ? Même les Téméraires de l'horreur n'y comprendront rien. Je devrai me sortir tout seul de cette foire. »

Sans t'excuser, tu quittes en trombe la classe. Dehors, tu contournes la voiture de ton père pour éviter d'avoir à la conduire encore une fois. Savoir que tu peux conduire sans jamais l'avoir appris te fiche une de ces trouilles...

Tu cours donc jusqu'à la maison. Essoufflé, tu arrives devant le miroir.

Rends-toi au chapitre 66.

19

« MANQUÉ ! s'exclame Marjorie, mécontente. Tu as raté ton coup...

— Inutile de me crier par la tête, grognes-tu. Si tu penses faire mieux que moi, la prochaine fois, ne te gêne pas et prends le pistolet.

— Je ne crois pas qu'il y aura une prochaine fois les amis », bredouille Jean-Christophe.

Vous vous retournez vers le corps du fantôme qui continue à se matérialiser sous vos yeux et qui se rapproche... DE PLUS EN PLUS !

OOOOOOUUUU !

Horrifiés, vous reculez. Le dos collé au mur noir, tu l'observes, impuissant. Les bras translucides du fantôme sont tendus vers toi. Il s'approche et tu peux entrevoir le visage d'une jolie jeune femme.

« Rassurez-vous, vous dit-elle d'une voie caverneuse. Je ne vous veux aucun mal.

— Qu-qui êtes vous ? bredouille Jean-Christophe. Que nous voulez-vous ?

— Je m'appelle Anne, dit-elle, j'étais la première assistante du magicien et maître de magie noire Didier Fabule. Je peux peut-être vous faire sortir d'ici... »

Allez au chapitre 87.

20

Soudain, tu es réveillé par un petit chatouillement sur le bout de ton gros orteil. Tu souris, car c'est la tactique préférée de ta mère pour te tirer du lit les jours d'école où tu préférerais faire la grasse matinée. En fait, elle en a deux. Soit qu'elle adopte le supplice des crêpes au sirop d'érable, dont l'odeur est une vraie torture pour toi, soit qu'elle te chatouille les pieds jusqu'à ce que tu te lèves...

Tu ouvres les yeux en souriant, mais ton sourire disparaît vite lorsque tu te rends compte qu'autour de toi il fait sombre. C'est encore la nuit ou quoi ?

Tu ne comprends pas trop. Tu te penches vers tes pieds et tu constates qu'il s'agit non pas de ta mère, mais d'une meute de rats qui grouillent nerveusement autour de toi.

Tu te lèves d'un seul bond et tu constates que la Chose est venue te rendre sa DERNIÈRE VISITE cette nuit et qu'elle t'a emmuré dans ta maison.

Tu as beau crier et frapper sur les planches et les briques... PERSONNE NE T'ENTEND ! Les seules paroles qui parviennent à tes oreilles sont des mots qui proviennent du miroir de ta commode dans ta chambre. Oui de ta chambre tout en haut et qui disent...

« Je t'avais prévenu ! Je t'avais prévenu... »

FIN

21

« Ton poste de télé est-il toujours ouvert au canal 72, où rien d'autre que de la neige n'apparaît à l'écran ? » te demande Marjorie.

SHHHHHHHHHHHH !

« Comment ça ? t'exclames-tu. Ce téléviseur n'est même pas branché... »

Vous vous penchez tous les trois et remarquez que la fiche du téléviseur traîne en effet sur le plancher. Jean-Christophe pose le doigt sur la bouche pour nous intimer l'ordre de garder le silence. Ensuite, il s'approche du poste de télé et appuie sur le commutateur **CLIC !** La télé demeure toujours ouverte.

« OH OH ! fais-tu en ravalant en silence ta salive. Ce n'est pas normal ça...

— Et ces deux cassettes vidéo sur la télé, te demande Marjorie. Elles sont à toi ?

— Je sais que ça peut te paraître stupide, mais c'est la première fois que je les vois, lui réponds-tu. Je te jure qu'il y a quelques minutes... ELLES N'Y ÉTAIENT PAS ! »

Allez au chapitre 63.

22

Pendant un moment, tu restes pétrifié. Tu ne peux en croire tes yeux ni tes oreilles. Tu voudrais parler et dire à ce spectre de malheur que tu ne te laisseras pas capturer aussi facilement, mais de tes lèvres de pierre ne sortent que quelques paroles incompréhensibles : **REEEEEEU ! AAAAAAFF !**

Marjorie lit la peur sur ton visage. Elle se dresse à son tour et s'emporte...

« Sachez que nous serons là nous aussi lorsque cette Chose reviendra, monsieur le spectre du miroir, crache-t-elle en te prenant l'épaule pour te soutenir. Si vous pouvez faire un message à cette Chose, dites-lui que si elle ose pointer son gros nez dégoûtant ici encore une fois, nous ferons d'elle de la soupe à l'ectoplasme et...

— MARJORIE ! s'objecte son frère. Arrête-toi, tu as l'air complètement ridicule...

— Pardon ! s'indigne-t-elle les mains sur les hanches. Qu'est-ce que tu as dit ? Moi, ridicule ? Non, mais tu as regardé ce visage laiteux aux yeux verts exorbités, qui sent la vieille chaussette ?

— Votre impertinence ne me touche en rien, jeune fille, murmure en souriant l'esprit du miroir, qui ne semble pas le moindrement insulté par les propos de Marjorie. J'ai un marché à vous proposer : acceptez, et peut-être pourrez-vous vous débarrasser de la Chose... »

De quoi peut-il bien s'agir ? Pour le savoir, rends-toi au chapitre 88.

23

« J'ai beau regarder, t'impatientes-tu, pour moi ils sont tous pareils, ces foutus squelettes.

— Ça ne sert à rien, s'énerve à son tour Marjorie. C'est un fichu vestibule rempli de fichus squelettes identiques sans aucune fichue différence...

— Surveille ton langage, petite sœur, lui suggère Jean-Christophe. Si papa était là...

— SI PAPA ÉTAIT LÀ, IL NOUS SORTIRAIT D'ICI, hurle-t-elle, toute énervée.

— Calmons-nous, dit son frère en essayant tant bien que mal de contrôler ses propres craintes. Je ne peux pas concevoir que ce vestibule s'étende à l'infini...

— J'ai la gorge sèche et je commence à avoir super faim, se plaint-elle.

— D'accord, mais il faut se raisonner, suggère fortement Jean-Christophe. Il se pourrait bien que nous en ayons pour longtemps.

— Bonne idée ! lui dis-tu en vidant le sac à dos par terre pour en faire l'inventaire. Sept tablettes de chocolat, poursuis-tu. Deux sacs de chips et cinq petits jus. »

Dévore ta ration, mouille ton index et tourne les pages de ton Passepeur jusqu'au chapitre 48.

24

Tu fais signe à tes amis d'attendre et de garder le silence. Tu te penches dans l'entrée du temple pour t'assurer qu'il n'y a aucun danger, et tu entres...

Au bout d'une minute, tu reviens auprès d'eux.

« J'ai une bonne et une mauvaise nouvelle, soupires-tu, le visage tout en sueur. La bonne, c'est que le passage qui conduit jusqu'à l'intérieur du temple est éclairé par des flambeaux. La mauvaise… eh bien, quelqu'un ou quelque chose a allumé ces flambeaux !

— C'est elle ! en déduit Marjorie. La Chose, nous sommes tombés sur son repaire. »

Tous les trois, vous franchissez le portail. Pour éviter de vous retrouver encore une fois plongés en pleine noirceur, tu attrapes un des flambeaux et tu avances en protégeant la flamme de ta main. À l'extrémité du temple, vous arrivez sur une mezzanine qui surplombe une grande salle ornée d'une terrifiante statue aux incisives proéminentes : LE DIEU DRAKOUL. Douze silhouettes drapées de noir sont prosternées devant lui.

La cérémonie se poursuit lorsque l'une d'elle se lève et frappe sur un immense gong avec un gros os blanchi, **GOONNNG** ! Les autres rabattent sur leurs épaules les cagoules qui cachaient leur visage... LEUR VISAGE DE GOULES !

Jusqu'ici, tu as tenu le coup, alors ce n'est pas le temps de lâcher. Va au chapitre 32.

Tu insères la cassette dans le magnétoscope et tu le mets en marche. La neige disparaît pour faire place à un écran tout rouge. Ton cerveau cavale à cent à l'heure...

« Tonnerre de tonnerre ! te dis-tu au fond de toi-même. Et si j'avais raison... »

Tous les trois, vous vous assoyez sur ton lit. Soudain, trois silhouettes apparaissent à la télé... Marjorie, Jean-Christophe et toi-même... D'un bond, tu te lèves...

« MAIS C'EST NOUS ! » t'écries-tu en pointant du doigt la télé.

Tes amis s'approchent aussi. Comme s'il s'agissait d'un miroir, l'écran vous renvoie vos moindres faits et gestes, comme si c'était du direct. Vous vous approchez encore plus près du téléviseur. À l'écran apparaît tout à coup le visage d'un terrifiant petit monstre. Il te gratifie d'un sourire diabolique avant de bondir et de traverser l'écran, suivi d'une multitude d'autres petits monstres tout aussi grotesques. Cette meute de créatures démoniaques va-t-elle réussir à vous attraper ? Pour le savoir...

...TOURNE LES PAGES DU DESTIN.

Si les petits monstres réussissent à vous attraper, allez au chapitre 76.

Si, par contre, ils ne vous ont pas attrapés, rendez-vous au chapitre 89.

26

Tu étires le cou et tu aperçois ton lit qui glisse lentement sur le plancher. Ton cœur bat à tout rompre.

De chaque côté du lit, les doigts crochus des mains répugnantes de la Chose marchent comme les pattes d'une araignée sur ton matelas...

Tu avales bruyamment ta salive en songeant que si tu n'avais pas accepté le marché de l'esprit du miroir, tu serais couché sur ton lit en ce moment.

BRRRRRRR !

Les mains de la Chose saisissent ta couverture et l'arrachent de ton lit. Les deux mains parcourent ensuite toute la surface du matelas en n'y trouvant que ton oreiller.

Deux yeux furieux apparaissent quelques secondes à la tête de ton lit avant que la Chose disparaisse sous le lit dans un bruyant tourbillon de fumée.

ROOOUUUUUU !

Vous savez maintenant où elle se cache : sortez du miroir et... TRAQUEZ-LA !

Retournez au chapitre 4 et soyez... VIGILANTS !

27

Le liquide gluant frappe de plein fouet le torse velu de la chauve-souris vampire, SPLAT !

Elle s'écrase sur le plancher. Ses cris d'agonie déchirent vos tympans, HRUUIIII ! HRUUII !

Le « gloub » agit comme de l'acide et dissout son corps, PCHHHHHH !

Ses plaintes finissent par s'estomper. Tu t'approches. Elle n'est plus qu'un bouillon de liquide transparent parsemé de poils et traversé d'os. De grosses bulles de gaz éclatent PLOUC ! PLOUC ! et se mélangent à l'odeur infecte de moisi qui règne dans le grenier.

« Bien joué ! te félicite Jean-Christophe. Mais il ne faut pas traîner plus longtemps ici, car les autres chauves-souris ne tarderont pas à se réveiller, elles aussi...

— Je ne veux pas partir d'ici avant d'avoir fouillé chaque recoin du grenier, dis-tu à Jean-Christophe. Si la Chose se cache ici, je vais la trouver...

— C'est impossible que tu puisses la trouver ici avec ces chauves-souris vampires, essaie de t'expliquer Marjorie. Rappelle-toi, c'est écrit dans l'Encyclopédie de l'épouvante : deux espèces différentes de monstres ne peuvent cohabiter ou hanter un même lieu. »

Ton amie Marjorie a tout à fait raison. Filez au chapitre 4 afin de continuer la fouille de ta chambre...

Pendant que tu retiens la bête, Marjorie et Jean-Christophe poussent le lit devant la porte de ton placard.

La porte tremble sous les assauts répétés de la bête qui grogne de rage.

GRRRRR ! GROOUUUU !

Un craquement de bois survient **CRAAAC !** et quatre griffes transpercent la porte.

La bête démantibule la porte, planche par planche, comme s'il s'agissait d'un simple château de cartes.

Vous restez là, tous les trois, incapables de bouger... PÉTRIFIÉS !

La bête, résolue à vous mettre en pièces, saute sur ton lit. Vous reculez d'un pas, mais il est trop tard pour fuir.

Tu serres les dents et tu attends la...

FIN

Pour toi, rien n'a changé ni bougé...

Tu glisses donc le bras entre deux chemises soigneusement accrochées à des cintres afin de toucher le fond du placard. Tu frappes avec ton poing deux fois TOC! TOC! pour t'assurer qu'il n'y a pas de double fond.

Tu sens soudain une langue rugueuse te lécher la main. Tu retires vite ton bras et tu rejoins tes amis. Tu regardes ta main... DE LA BAVE COLLANTE ET JAUNÂTRE COULE ENTRE TES DOIGTS !

Vous vous regardez tous les trois en vous demandant bien ce que vous allez faire...

Quatre options s'offrent à vous :

Vous pouvez refermer la porte de ton placard et espérer que la bête qui s'y cache retourne là d'où elle vient. Ça, c'est au chapitre 97.

Vous pouvez la confronter en allant au chapitre 49.

APPELER LA POLICE ? C'est peut-être une solution. Dans ce cas, allez au chapitre 111.

Ou vous pouvez tout simplement vous enfuir jusqu'au chapitre 46. Cette dernière solution ne doit être utilisée qu'en situation de désespoir, de GRANDE FROUSSE ou d'incontinence subite.

30

D'un coup sec tu ouvres la porte...

Marjorie lance un cri d'effroi en apercevant cette grande bête poilue au regard injecté de sang.

AAAAHHH !

La bête se précipite sur ton lit et se met à bondir dessus.

BOING ! BOING ! BOING !

Pendant quelques secondes, tu crois qu'elle veut s'amuser avec vous. Tu la regardes avec dégoût. Elle sautille encore plusieurs fois sur le lit, puis elle se met à lacérer le matelas avec ses griffes meurtrières.

Tu aperçois entre ses longues dents aussi affûtées que des poignards les restes croupis de ses dernières victimes.

Vous la regardez tous les trois et vous comprenez vite qu'armés d'une simple lampe, d'un oreiller et de ton réveille-matin... VOUS NE FAITES PAS LE POIDS !

FIN

31

Dans ta chambre, le silence devient angoissant.

Tu tournes la poignée et tu pousses un soupir de soulagement lorsque tu t'aperçois qu'elle n'est pas verrouillée.

FIOUUU !

Ensuite, le visage caché dans le creux de ton bras, tu ouvres la porte de ton placard lentement comme s'il s'agissait d'une fosse pleine d'horribles zombies affamés prêts à te sauter dessus.

Elle fait un petit grincement en s'ouvrant.

CRIIII !

Dans ton placard, tu es tout étonné de constater que tout est bien rangé et que rien ne semble avoir été déplacé. Sur la tablette, tout est à sa place, de la pile de magazines à la boîte de souliers ; même tes deux ballons de basket n'ont pas bougé. Sur des cintres de métal sont accrochés tous tes vêtements. Tu te dis que vous faisiez peut-être fausse route en cherchant ici...

Rends-toi au chapitre 58.

« Les voilà enfin, tes Choses, te montre Jean-Christophe. Des goules, des femmes vampires. Ce sont elles, tes visiteuses nocturnes !

— Et dire que ma mère croyait que c'était moi qui vidais le frigo de ses boissons gazeuses, chuchotes-tu, étonné.

— Écoutez la bande, intervient Marjorie. Il faudrait peut-être partir d'ici au plus vite, car je ne voudrais pas être là pour leur boire de minuit...

— Quand je pense que des gens se plaignent que leur sous-sol est infesté de rats ; moi, ma cave abrite des squatters. Une secte de goules vampires adoratrices de Drakoul, une sorte de dieu buveur de sang.

— Marjorie a raison, admet son frère. Nous ne pouvons pas nous taper à trois tout ce boulot, il faut demander l'aide de la police. »

Doucement, avec mille précautions, vous reculez à quatre pattes. Les goules entonnent ensemble un chant. La mélodie lugubre qui sort d'entre leurs canines bien affûtées te glace d'effroi. Elles déploient leurs longues ailes poilues vers la statue. Une étrange fumée rougeâtre s'échappe soudain des narines de Drakoul. Pour se remettre sur pied, Marjorie s'agrippe au pied d'une structure de bois, pas solide du tout, qui se met dangereusement à tanguer avant de finir par s'écrouler, **BROOOUUUM** !

Cache ton visage dans le creux de ton coude pour te protéger du choc et rends-toi au chapitre 41.

33

Pas de chance, vous avez beau chercher partout, la clé demeure introuvable...

Abattu, tu t'affaisses sur la chaise de ton pupitre. Les épaules courbées, tu fixes le plancher.

« Ne fais pas cette tête, te chuchote Marjorie à l'oreille pour te réconforter. Tout n'est pas si noir.

— Je suis fait comme un rat, soupires-tu. Cette Chose va venir m'embêter toutes les nuits. Je ne pourrai plus jamais dormir sur mes deux oreilles. Ce n'est pas de la comédie, elle va revenir déchirer mes devoirs, cacher mes livres d'école et peut-être même... M'ENLEVER ! Qu'est-ce que je vais faire ? »

Jean-Christophe te regarde, tout triste.

« J'ai une bonne idée ! s'exclame soudain Marjorie. Emporte ton sac de couchage et viens dormir chez nous !

— BONNE IDÉE ! » cries-tu avant d'aller demander la permission à tes parents.

Mais il ne s'agit là que d'une solution temporaire. Oui, car demain soir tu seras de retour dans ta chambre, et demain soir... ELLE T'AURA !

FIN

34

Jean-Christophe secoue sa main vigoureusement pour lui faire lâcher prise, mais l'horrible bête ne relâche pas sa poigne et lui coupe presque la circulation sanguine. Tu saisis une taie d'oreiller et tu frappes le bras de Jean-Christophe. Au second coup, l'oreiller se déchire et des plumes se mettent à voler partout. Effrayé, le petit monstre se réfugie sous ta table de chevet.

« Comment une petite chose aussi jolie peut-elle être aussi méchante ? interroge Marjorie, cachée derrière toi.

— Joliment laide tu veux dire, la reprend son frère. SORTEZ LE PISTOLET À « GLOUB » !

Tu plonges la main dans le sac à dos de Marjorie et pointes le pistolet en direction du petit monstre, qui passe de nouveau à l'attaque.

Vas-tu réussir à l'atteindre avec ton pistolet ? Pour le savoir...

*... **TOURNE LES PAGES DU DESTIN** et vise bien.*

Si tu l'atteins de plein fouet, rends-toi au chapitre 72. Par contre, si tu le rates, va au chapitre 40.

« POUAH ! ça sent le moisi ! » se plaint Marjorie.

ET QUEL BAZAR ! Il y a de vieilles malles, de vieux fauteuils brisés, de vieux vêtements. Dans un coin, la lune projette, sur une peau d'ours miteuse et aplatie comme une crêpe, une faible lumière à travers les vitres sales d'une lucarne. La tête de l'animal pointe dans ta direction et semble te dévisager.

Observe bien cette illustration et rends-toi ensuite au chapitre 86.

36

Vous courez maintenant dans ce tronçon de couloir, qui est soudainement devenu en pente, jusqu'à une sorte de grande pièce rocheuse. Tu te tournes et tu diriges le faisceau de ta lampe en plein dans le couloir. Deux petites lueurs lointaines sautillent...

Tu balaies l'endroit avec ta lampe. La moisissure est partout, et des gouttes d'eau verdâtre s'écoulent sur le crâne de plusieurs squelettes étendus sur le sol.

« Des catacombes ? demande Marjorie, bien innocemment. Ton sous-sol est un ancien cimetière ?

— Tu crois que mon père laisse traîner de gros os et des crânes comme ça partout ? réponds-tu avec impatience. Tu vois bien qu'il s'agit de la niche de Rox. »

La sombre silhouette du chien s'arrête à l'entrée. Tu balaies du regard chaque recoin. À part ce vieil escabeau planté au milieu, il n'y a pas de sortie. Vous vous élancez vers lui et grimpez tous les trois jusqu'au dernier barreau. Rox s'approche, te lance un regard qui te glace le sang et se met à gruger le pied de l'escabeau.

Aura-t-il calmé son appétit lorsqu'il aura fini de le manger ? Espérons-le... POUR VOUS !

FIN

37

« Tu crois que tu as réussi à déchiffrer le message ? te demande Marjorie, agitée.

— Je n'en suis pas sûr, lui réponds-tu. De toute façon, je crois que nous ne tarderons pas à le savoir. »

Tu attends, les bras croisés, pendant que Jean-Christophe va s'asseoir calmement sur ton lit défait. Pendant de longues minutes rien ne se passe. Question d'oublier sa nervosité, Marjorie fredonne à voix basse quelques paroles d'une chanson.

Soudain, sans prévenir, des éclairs brillants jaillissent du miroir CHRIKKK ! CHRIKK ! et un vent impétueux, aussi déchaîné qu'une tornade, te fait virevolter dans ta chambre comme un vulgaire morceau de papier.

OOOOUUUUFF !

Tu fermes les yeux et te tiens la tête pour te protéger. Tu tournoies dans les airs pendant plusieurs minutes avant de tomber dans les pommes.

Ouvre les yeux et secoue la tête, tu es rendu au chapitre 50.

À trois, vous poussez le chiffonnier et apercevez derrière une spirale de fumée qui, traversée d'éclairs, tourne et illumine ta chambre.

« C'est un vortex, vous explique Jean-Christophe. Cette espèce de tourbillon magnétique est une porte qui mène vers une autre dimension. »

Lorsque tu t'approches, le vortex projette de jolis motifs sur ta chemise. Juste au moment où tu écartes les bras pour contempler les couleurs sur tes mains, tu te sens aspiré. Tu essaies de reculer, mais c'est impossible. Le vortex se met à tourner plus vite. Tes pantoufles de laine glissent sur le parquet ciré comme des patins sur de la glace. Marjorie et Jean-Christophe t'attrapent chacun par les bras et te tirent d'affaire. Le visage déformé par une expression de terreur, tu essaies de reprendre ton souffle lorsqu'une main squelettique traverse le vortex et essaie de te saisir... Est-ce que cette créature va réussir à t'attraper et à te traîner dans une autre dimension ? Pour le savoir...

... TOURNE LES PAGES DU DESTIN !

Si tu es assez rapide et que tu réussis à l'esquiver, rends-toi au chapitre 47.

Si, par malheur, elle réussit à t'attraper, va vite au chapitre 16 et attends-toi au pire.

En soulevant la trappe, tu aperçois tout de suite les premières marches d'un étroit escalier de vieux bois qui s'enfonce et qui se perd dans la noirceur.

« Comme de raison, il fait noir, bougonne Marjorie. Il faut toujours qu'il fasse noir. J'ai presque hâte de rencontrer un revenant qui hante une plage ensoleillée... »

Au moment où tu t'apprêtes à poser le pied sur la première marche, une crainte germe dans ton esprit : et si cette créature vous avait tendu un piège ? Tu réfléchis un peu et tu en conclus que de toute façon, tu n'avais pas le choix, que si tu n'allais pas tout de suite au fond des choses, jamais cette créature ne te ficherait la paix. Décidé, tu tends la main vers Marjorie. Elle comprend vite que tu as besoin de la lampe. Elle fouille dans son sac à dos et te la remet, de la même manière qu'une infirmière remet un bistouri à un chirurgien pendant une opération délicate, très délicate.

« C'est le royaume des araignées ! remarque Jean-Christophe, qui suit des yeux le faisceau lumineux. Il y a des toiles tissées partout...

— Nous allons nous promener dans les murs mêmes de la maison, remarques-tu. Suivez-moi et ne me laissez pas d'une semelle, c'est un vrai labyrinthe ici avec des passages très étroits. »

Tu inspires un bon coup et entraînes tes amis dans les dédales des murs de ta maison jusqu'au chapitre 100.

40

RATÉ !

Marjorie arrache le drap de ton lit et le rabat sur le petit monstre qui s'approchait de toi.

« Bien joué, petite sœur ! » lui lance Jean-Christophe avec un clin d'œil.

Déchaîné, le petit monstre rebondit de tous bords tous côtés et met ta chambre sens dessus dessous.

En sautant, Jean-Christophe réussit à attraper un coin du drap et enroule le petit monstre comme un saucisson. Tu l'aides à l'immobiliser sur le plancher. Deux crocs percent le tissus et déchirent le drap... **CRRRRICH** !

« On ne pourra pas le retenir longtemps, dit Jean-Christophe. Qu'est-ce qu'on fait ? »

Tu regardes les dégâts dans ta chambre sans trop savoir quoi faire. Quel fouillis ! Marjorie te montre du doigt ton bureau. Un des tiroirs s'ouvre de lui-même et trois paires d'yeux apparaissent... D'AUTRES MOUTONS DE POUSSIÈRE !

« Je ne sais pas ce qui se passe ici, lance Jean-Christophe, mais tu aurais dû faire le ménage de ta chambre depuis longtemps.

— Aux grands maux les grands remèdes, t'exclames-tu. Sortons d'ici ! J'ai une idée... »

Va au chapitre 74.

41

Une grosse planche te frappe en plein sur le tibia, et l'effondrement de la structure t'ensevelit sous un amoncellement de débris.

La lumière filtre entre deux planches, tu risques un coup d'œil. Une goule à la gueule monstrueuse s'envole, emportant avec elle Marjorie inconsciente. Au bout de la mezzanine, Jean-Christophe repousse à coup de pieds les attaques répétées de deux autres goules.

Tu réussis à te dégager en écartant les débris. Tu attrapes une planche et tu la lances à Jean-Christophe, qui a tôt fait de réduire à l'impuissance ses deux attaquantes.

Vous rampez jusqu'à la grande salle où Marjorie, attachée à un gros pilier de granit, est sur le point d'être offerte... EN SACRIFICE !

En vous aidant de la tuyauterie, vous vous hissez sur l'énorme tête de la statue de Drakoul. Tout en bas, Marjorie est revenue à elle. Difficilement, elle tente d'éloigner les goules. Vous poussez de toutes vos forces sur une des cornes de la statue. Le fragment de pierre se détache et s'écrase avec fracas **BRAOUUM !** Tout près, les goules s'éloignent, terrorisées par les flammes des bassins d'huile renversés. Jean-Christophe se laisse glisser sur la statue pour rejoindre sa sœur et la libérer de ses liens. Le feu s'étend dans presque tout le temple.

IL N'Y A PAS DE TEMPS À PERDRE ! Mouille ton doigt et tourne vite les pages de ton Passepeur jusqu'au chapitre 115.

42

Pendant que Jean-Christophe et toi tenez solidement la mâchoire du monstre ouverte, Marjorie se glisse hors de sa gueule et revient placer ton petit tabouret de bois sur une de ses molaires pour l'empêcher de se refermer.

Jean-Christophe traverse à quatre pattes l'ouverture. Dans la grande gueule du monstre, les gargouillis de son estomac vide reprennent.

GLOURB ! GLOURB !

Et sa langue se remet à bouger...

Tu sautes sans attendre dans l'ouverture et tu fais des tonneaux sur le tapis de ta chambre pour amortir ta chute. La mâchoire de la gueule monstrueuse écrase le tabouret, **CRAAAC !** et le vortex disparaît.

« Tu crois que c'est fini ? lui demandes-tu. Je vais pouvoir dormir comme tout le monde, maintenant ?

— Je suis désolé de te l'apprendre, mais la Chose qui hante ta chambre la nuit ne peut pas logiquement provenir de ce vortex, t'explique Jean-Christophe, parce que vois-tu, rien ne peut sortir de ce vortex. Nous, nous avons réussi parce nous ne faisons pas partie de cette dimension. Il faut chercher ailleurs... »

Retournez au chapitre 4 et faites un nouveau choix.

43

« Nous avons peut être fait une grave erreur en désintégrant le fantôme avec notre pistolet à « gloub », réfléchit Jean-Christophe à voix haute. Il était peut être venu nous aider.

— On ne le saura jamais », soupire Marjorie.

Le lendemain, du miroir ovale, tu aperçois dans ta chambre, ton père. Il n'est pas seul, il discute avec un grand monsieur aux cheveux grisonnants que tu reconnais tout de suite : c'est Ben Villeux l'antiquaire du coin. Ben tend à ton père une liasse de billets, et les deux hommes costauds qui accompagnent l'antiquaire empoignent aussitôt la lourde commode surmontée du miroir et vous emportent dans leur camion jusqu'à la boutique d'antiquités.

Depuis ce jour, les gens s'arrêtent devant la vitrine de l'antiquaire pour contempler cette rare acquisition, cette commode bizarre surmontée d'un curieux miroir sculpté de terrifiantes gargouilles. On raconte un peu partout dans Sombreville que si on s'attarde assez longtemps devant le miroir les soirs où la pluie tombe comme des clous, on peut y apercevoir trois visages tristes et fantomatiques.

FIN

« Ça alors ! nous sommes vraiment passés de l'autre côté, s'exclame Marjorie. Sans mal ! D'ailleurs, je n'ai presque rien senti.

— Sans mal je n'en suis pas sûr ! lui montres-tu en posant tes deux mains sur la surface du miroir. Regardez, le miroir s'est comme refermé. »

Jean-Christophe s'approche à son tour et frappe deux petits coups sur le verre épais.

TOC ! TOC !

« VOMISSURES DE CHAUVE-SOURIS ! s'écrie-t-il, pris d'une rage noire. On nous a piégés ! Nous sommes coupés du monde réel.

— Ah bravo ! je te l'avais dis, le rabroue Marjorie. C'est de ta faute si nous nous retrouvons dans cette fâcheuse position.

— GNA GNA GNA ! fait son frère.

— HÉ, VOUS DEUX ! hurles-tu. Mettez de côté vos querelles de famille et essayez plutôt de nous sortir d'ici. Nous y sommes entrés, il doit bien avoir une façon d'en sortir !

— Et s'il n'y en avait pas ? recommence Marjorie.

— Comment peux-tu être aussi pessimiste, lui demandes-tu, exaspéré ; nous n'avons encore même pas cherché... »

Allez du côté du chapitre 77.

45

D'un geste rapide... TU OUVRES LA PORTE !
OH ! OH ! QUELQUE CHOSE A BOUGÉ !
OUI, MAIS QUOI ?

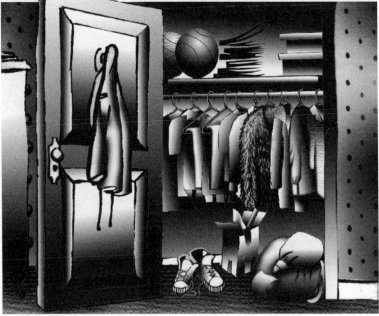

*Regarde bien cette nouvelle illustration de ton placard ;
elle est différente de la précédente. Si tu réussis à trouver en
quoi, fuyez jusqu'au chapitre 96. Par contre, si tu n'en as
aucune idée, voyez ce qui vous attend au chapitre 29.*

46

Il s'agit ici d'une solution de dernier recours... POUR LES ÂMES SENSIBLES !

Tu dois fermer tout de suite ton Passepeur et ne plus jamais... JAMAIS L'OUVRIR !

Ensuite, mets-le dans une solide boîte et verrouille-la avec une grosse chaîne et un gros cadenas. Tu attendras le douzième coup de minuit d'un vendredi treize pour l'enterrer dans un coin du sous-sol.

Enfin, chaque soir avant de te coucher, fais une prière pour que jamais personne ne trouve la boîte et n'ouvre ton Passepeur...

FIN

47

En esquivant l'attaque de la main squelettique aux ongles crochus, tu trébuches et ta tête percute le pied de ton lit. CLOC ! Tu te frottes le crâne en gardant les yeux braqués sur la main qui disparaît dans le tourbillon du vortex. Un frisson secoue ton corps. Ouf ! Il s'en est fallu de peu... Tu te remets sur pieds et tu avances le plus silencieusement possible vers le tourbillon.

« STOP ! arrêtes-toi, s'écrie Marjorie en tirant ta chemise. Qu'est-ce que tu fais ?

— Il faut que je sache ce qui se passe de l'autre côté, fais-tu, le poing en l'air.

— Tu es en train de perdre la boule, réplique-t-elle, déconcertée.

— Mets-toi à ma place, lui expliques-tu. Cette menace qui pèse sur moi, c-h-a-q-u-e soir m'empêche de dormir et ça me rend dingue.

— De toute façon, nous n'avons pas le choix, dit Jean-Christophe à sa sœur. C'est dans le vortex lui-même que nous trouverons la clé qui le scellera pour toujours.

— Tonnerre de tonnerre ! marmonne-t-elle, résignée. Ça va finir par un feu d'artifices, cette histoire. »

Vous prenez tous les trois une bonne inspiration et foncez vers le vortex, au chapitre 3.

Après avoir gobé chacun votre maigre ration qui consiste en un tout petit carré de chocolat et une minuscule gorgée de jus de pomme, vous poursuivez votre marche forcée.

Les jours et les nuits passent. Vous avez méticuleusement suivi votre plan, mais malgré tout, vous avez inévitablement épuisé toute votre nourriture. Maintenant, il ne vous reste ni tablette de chocolat ni boîte de jus. Alors que tu sens la fin toute proche, tu te rends compte que le Vestibule des damnés arrive lui aussi... À SA FIN !

Euphorique, tu cours jusqu'à l'extrémité. La lueur de joie qui teint ton visage s'estompe très très vite lorsque tu constates que vous êtes arrivés, après une semaine de marche... À UN CUL-DE-SAC !

Marjorie et Jean-Christophe, plantés devant trois alcôves vides, te lancent des regards affolés.

« Trois alcôves vides... comptes-tu. TROIS ESPACES POUR NOUS ! »

Attrape une souris, mets-la dans ta poche et prends ta place... POUR L'ÉTERNITÉ...

FIN

49

D'un geste sec, tu ouvres la porte...

Marjorie lance un cri d'effroi en apercevant le monstre qui avance vers vous à pas pesants.

AAAAHHH !

Tu examines la bête en te disant que vous auriez mieux fait de fermer la porte. C'est une énorme bête de plus de deux mètres, poilue des pieds à la tête. Elle te regarde de ses yeux injectés de sang... AVEC APPÉTIT !

En désespoir de cause, vous lui balancez à la tête tout ce qui vous tombe sur la main : lampe, livres, oreiller, sans toutefois réussir à l'effrayer.

La bête ne t'a pas encore touché que tu sens déjà ta gorge se serrer. Parce que tu sais que, bientôt, ce sera pour toi et tes amis la...

FIN

50

Tu ouvres les yeux et tu constates que tu es couché dans ton lit. Tu essaies de te rappeler ce qui s'est passé, mais rien à faire, dans ta tête tu n'as que de très vagues souvenirs. Tu te lèves et tu descends à la cuisine rejoindre tes parents.

En bas, ta mère est assise à la place du bébé et elle mastique une tartine de confiture aux fraises. Les joues couvertes de confiture, elle te regarde d'un air égaré en souriant. Ton père, lui, après avoir ingurgité la dernière cuillerée de TES céréales préférées, se lève, enfile TON sac à dos et file vers le garage.

Qu'est-ce qui se passe ?

Abasourdi, tu t'élances à la fenêtre pour le voir partir à bicyclette avec Marjorie et Jean-Christophe en direction de l'école.

« Eh là ! fais-tu, déboussolé. C'est mon vélo et ce sont mes amis... »

Tu fonces vers l'entrée et tu ouvres la porte. Sur le perron, tu arrives face à face avec Liette, la voisine. Elle est à quatre pattes sur le gazon et elle s'enfuit avec le journal de ton père entre ses mâchoires en grognant... COMME UN CHIEN ! Tu te pinces le bras, car tu dois certainement rêver OUCH ! Ça fait mal, tu ne rêve donc pas.

Va au chapitre 7.

51

Vous avez beau regarder les indications dans tous les sens, vous n'arrivez pas à comprendre la direction qu'elles indiquent. Jean-Christophe et toi échangez un regard lorsque les curieux frottements **CRRRR ! CRRRR !** sur le sol se rapprochent. Vos craintes se transforment vite en panique lorsque vous vous rendez compte qu'il s'agit d'un énorme cabot difforme.

« Ragoût de sorcière ! t'exclames-tu, les yeux agrandis d'horreur. C'est Rox, le chien de l'ancien proprio de la maison. Il a survécu toutes ces années entre les murs de notre maison en se nourrissant de rats. »

Marjorie étouffe un cri lorsqu'elle aperçoit la bête.

« Il n'a plus un seul poil, et ses yeux sont devenus tout blancs, remarque-t-elle avec dégoût.

— C'est à cause de tout ce temps qu'il a passé dans le noir », lui dit son frère.

Rox s'arrête, agite le truffe de son nez devant lui pour flairer et écarte ses volumineuses mâchoires garnies de quatre longs crocs. Tu avales bruyamment ta salive et tu attrapes Marjorie par le bras.

« Couloir de droite, montres-tu à tes amis. REMUEZ-VOUS ! Il a l'air affamé... »

Vous marchez rapidement dans une galerie en pente descendante qui semble conduire au sous-sol au chapitre 36.

52

Tu l'as atteint de plein fouet avec ton pistolet à « gloub ». Le monstre exécute quelques pas de danse macabre avant de s'écrouler sur le sol en un gros bouillon de bave verte et rose POUAH !

Pendant que tu en profites pour souffler un peu et ranger ton pistolet, Jean-Christophe examine le portail qui donne sur la pièce voisine.

« C'est incroyable ! les mots me manquent, chuchote Jean-Christophe en posant les mains sur le mur. On dirait l'entrée d'un temple. »

Tu enjambes le cadavre du monstre pour rejoindre tes amis.

« Il y a des sculptures de gros cafards dégoûtants tout autour des colonnes, remarque Marjorie.

— DES CAFARDS ! répète Jean-Christophe, stupéfait. C'est un avertissement ! Tous ceux qui oseront franchir ce seuil recevront de cruelles punitions.

— Qu'est-ce que tu racontes ? s'enquiert Marjorie, penchée vers son frère. Quel genre de punitions ?

— J'ai lu dans l'Encyclopédie noire de l'épouvante que le cafard était l'insecte sacré d'un dieu du mal qui existait dans l'Antiquité, il y a de cela très longtemps : le dieu Drakoul. Il était en quelque sorte le premier vampire connu. Ce temple est voué à son culte... »

Sans faire de bruit, rends-toi au chapitre 24, si tu en as envie...

53

Comme dans les films, tu prends une poignée de sable et tu la lances au visage du gladiateur qui se tient devant toi. Les grains de sable passent à travers du gladiateur comme s'il n'était pas là.

Tout de suite, Jean-Christophe saisit ce qui se passe...

« JE COMPRENDS ! s'exclame-t-il. Tout ici n'est qu'illusion. Il n'y a rien de vrai. Le sable, ces gladiateurs, cette arène...

— Illusion mon œil, lui dis-tu. Et ça, c'est une illusion aussi ? ajoutes-tu en lui montrant ton bras plein de sang.

— Tout est faux, je te dis, insiste-t-il. Sauf si tu crois que c'est vrai. Le fauve t'a blessé parce que tu pensais qu'il était réel...

— C'est bien beau tout cela, vous presse Marjorie, mais on fait quoi au juste pour sortir d'ici ?

— Tous les deux, concentrez-vous très fort, explique Jean-Christophe, et tout devrait disparaître. »

Tu regardes ta blessure en te disant plusieurs fois que rien n'est réel. Aussitôt, comme par magie, le sang disparaît et ta blessure se referme.

« ÇA MARCHE ! » t'exclames-tu, rempli de joie.

Essuie ton front et va au chapitre 17.

54

Jean-Christophe et toi faites monter Marjorie sur vos épaules pour voir si elle peut atteindre la gorge du monstre.

« OUI ! C'EST POSSIBLE ! crie-t-elle, juchée en haut dans le conduit visqueux. J'y suis presque. Je peux apercevoir la luette et le palais. Mais il me manque quelques centimètres. Si vous ne m'aidez pas, je ne pourrai pas y arriver... »

Vous vous soulevez sur la pointe des pieds.

« ÇA Y EST ! crie-t-elle cette fois-ci.

— DÉPÊCHE-TOI ! crie Jean-Christophe. C'est très glissant, je ne crois pas que nous tiendrons le coup très longtemps. »

Les deux mains bien ancrées au pharynx du monstre, elle réussit à se hisser jusqu'à la gorge. Ensuite, elle vous tend son gilet et vous vous hissez à tour de rôle dans la bouche du monstre. À pas mesurés et avec mille précautions, vous contournez la grosse langue rugueuse jusqu'aux gencives. En prenant appui sur les dents, vous soulevez de toutes vos forces. Les mâchoires finissent par s'écarter lentement. Tu te penches vers l'ouverture et tu aperçois entre les filets de bave... TA CHAMBRE !

Rends-toi au chapitre 42.

« Jeeuu m'adresse aux personnes cachées derrièreeuu le lit, je sais que vous êtes là, souffle l'esprit de sa voix caverneuse. Ceeeeeuuuux-là mêmeees qui m'ont sollicité audience en allumant cette chandelle. SORTEZ ! et montrez-vous... »

Vous vous regardez tous les trois comme si c'était la fin.

« Il nous a vus ! murmure Marjorie en mordillant le bout de ses doigts.

— Qu'est-ce qu'on fait ? demandes-tu à Jean-Christophe. On tente le tout pour le tout et on fonce vers la porte ?

— Remets ton cerveau dans le bon sens, te dit-il. Pour sortir d'ici, il faut contourner la commode et passer tout près du miroir ; moi, je ne m'y risquerais pas.

— N'ayez aucune crainte, reprend le spectre d'une voix soudainement devenue amicale. Je ne vous veux aucun mal, sortez, sortez !

— Aucun mal mon œil ! répète Marjorie. Les gentils fantômes, ça n'existe pas, surtout lorsqu'ils sont hideux.

— Je crois que nous n'avons pas le choix, je vais lui parler, se résigne Jean-Christophe. Après tout, la chandelle devant le miroir, c'est mon idée... »

Croise les doigts et rends-toi au chapitre 65.

Persuadé que l'esprit du miroir essaie de vous tendre un piège, tu repousses du revers de la main son offre...

Attristé par ta décision, le spectre ferme les yeux, et les traits de son visage disparaissent graduellement comme de petites vagues sur le bord d'une plage de sable. Tu poses la main à plat sur la surface du miroir...

« Il est bien parti », murmures-tu à tes amis en tapotant la surface.

« Aurait-il pu vraiment m'aider ? te dis-tu en réfléchissant. BOF !

À quoi bon m'embarrasser de l'esprit d'un miroir, j'en ai déjà plein les bras avec cette Chose qui hante ma chambre. »

Pendant une bonne partie de la nuit, avec tes amis, tu cherches en vain l'entrée du repaire de la Chose.

Vers trois heures du matin, tes paupières commencent à se faire lourdes, et Marjorie bâille comme une huître. La chasse aux fantômes est bien terminée pour cette nuit. Marjorie et Jean-Christophe repartent par la fenêtre ; quant à toi, la fatigue te fait bien vite oublier la Chose. Si bien que sous la chaleur de tes couvertures, tu t'endors rapidement.

Rends-toi au chapitre 20.

Tu n'as pas remarqué, mais accrochées aux solives du plafond, un groupe de chauve-souris ont déployé leurs ailes. Tu te mets à paniquer lorsque tu te rends compte que l'odeur irré-sistible du sang frais... VOTRE SANG ! les a sorties de leur sommeil.

« DES CHAUVES-SOURIS VAMPIRES ! s'égosille Marjorie. DES CHAUVES-SOURIS VAMPIRES ! »

Effrayés, vous vous bousculez dans l'ouverture du plancher pour vous mettre à l'abri dans ton placard. Trop tard ! Les chauves-souris font battre leurs ailes raides et noires et fondent droit sur vous.

FLAP ! FLAP ! FLAP !

Comme une nuée d'abeilles meurtrières, elles vous survolent. Tu essaies de te débattre du mieux que tu peux, mais OUCH ! quatre petites dents pointues s'enfoncent dans ton cou.

Tu recouvres tes esprits beaucoup plus tard au chapitre 64.

Mais en y réfléchissant bien, tu te dis que ce n'est pas net tout ça. Que tout est trop parfaitement rangé ! Et si, pour éviter que l'on trouve l'entrée de son repaire, la Chose avait méticuleusement tout replacé ?

Observe cette illustration et fais ensuite le test suivant : ferme doucement la porte de ton placard et ouvre-la ensuite très très vite au chapitre 45. Si la Chose se cache dans ton placard, peut-être pourras-tu la surprendre...

Tu tires et tu tires, mais en vain, elle est verrouillée...

Tu colles ton œil sur le trou de la serrure. Il fait très noir, mais tu réussis tout de même à distinguer un passage.

« Il y a un escalier là-dessous ! » chuchotes-tu à tes amis.

Marjorie et Jean-Christophe regardent tour à tour.

« Tu as raison ! s'exclame Marjorie. Il faut trouver la clé pour l'ouvrir. Sais-tu où elle est ?

— Comment veux-tu que je sache où se cache cette clé, lui réponds-tu. Il y a cinq minutes, j'ignorais qu'il y avait une trappe juste sous mon lit.

— Il faut trouver une façon de l'ouvrir, dit Jean-Christophe. Je suis persuadé que la Chose se cache là-dedans », ajoute-t-il en collant à nouveau son œil sur le trou de la serrure.

Tandis qu'il sonde la noirceur, il sent tout à coup quelque chose s'enrouler autour de sa main.

« Lâche-moi, Marjorie, ordonne-t-il. Tu me tords le poignet...

— Ce n'est pas moi ! lui répond-elle d'une voix tremblotante. Ce sont les moutons de poussière... ILS SONT VIVANTS ! »

Essuie ton front et va au chapitre 34.

60

« Je vais maintenant respecter ma part du marché, annonce l'esprit du miroir, réjoui d'être enfin libre. Ici, vous pouvez observer tout ce qui se passe de l'autre côté du miroir sans que personne ni même cette créature ou un autre monstre, ne se doute de votre présence. Il se peut fort bien que vous y passiez la nuiiiiiiiiit... » siffle l'esprit transparent en disparaissant dans les ténèbres.

Recroquevillés l'un sur l'autre, vous attendez sans qu'il ne se passe quoi que ce soit dans ta chambre. Les heures passent et tes paupières s'alourdissent. Pour rester éveillé, tu insistes auprès de Marjorie pour qu'elle te raconte encore une fois sa mésaventure avec Gigot, le petit fantôme grassouillet de la fabrique de jouets abandonnée de Monsieur Tong, qui l'avait fait nager dans les égouts des sous-sols de la fabrique et qui avait tenté de lui voler un baiser.

« La langue sortie, en plus ! précise-t-elle en grimaçant de dégoût. POUAH ! »

Jean-Christophe sourit, mais devient vite sérieux lorsque soudain, un léger craquement provenant de ta chambre se fait entendre...

CRIIIIC !

Silencieusement, très silencieusement, tourne les pages de ton Passepeur jusqu'au chapitre 26.

61

En essayant de déplacer les planches du parquet, tu te plantes une écharde dans le pouce.

« AÏE ! hurles-tu avant de te ficher le pouce dans la bouche comme un bébé.

— Je ne crois pas qu'il faille déplacer les planches pour la trouver, te dit Jean-Christophe. Si la clé est là, elle devrait être visible ; il suffit de bien regarder... »

Observe bien cette illustration. Si tu réussis à trouver la clé, rends-toi avec tes amis au chapitre 91.

Par contre, si la clé demeure introuvable, va alors au chapitre 33.

62

RATÉ !

Tu regardes le pistolet. L'afficheur numérique annonce 4 minutes avant la recharge du vaporisateur. Tu n'auras jamais le temps de tirer à nouveau. Tu regardes tout autour : il n'y a qu'une seule sortie, et le monstre est juste devant. Marjorie, le visage teinté de détresse, s'accroche à son frère. Tu fais fonctionner tes cellules grises et tu en conclus que vous ne pourrez pas vous en sortir tous les trois. Il faut qu'un des Téméraires se sacrifie pour sauver les deux autres, ET TU T'ES PORTÉ VOLONTAIRE !

Tu essaies d'attirer la créature en sifflant **OUUIT** ! comme tu le fais pour appeler ton chien. Mais le monstre se dirige vers tes amis, qu'il trouve sans doute plus appétissants que toi. Tu tapes des mains très fort, **CLAP** ! **CLAP** !

La créature tourne son gros œil vers toi, puis change de direction. Marjorie et Jean-Christophe, main dans la main, longent le mur jusqu'à la sortie. Tu leur souris avant de les voir s'engouffrer dans le passage. Tu as réussi. La créature s'approche de plus en plus de toi.

Instinctivement, tu fais un pas en arrière, mais tu te butes au mur humide. AÏE ! cries-tu sous le choc. Une bouche immonde apparaît sous l'unique œil du monstre. De cette bouche sort une langue aussi longue qu'un serpent qui se glisse jusqu'à ta cheville...

FIN

63

« Ouais, ouais ! fait-elle. Tu ne vas pas me dire qu'elles sont apparues tout bonnement comme ça.

— Mais combien de fois faudra-t-il que je te le répète ? insistes-tu. C'est la première fois que je les vois...

— Tu crois qu'on devrait les visionner alors ? te demande Jean-Christophe.

— Remets ton cerveau dans le bon sens ! lui réponds-tu. Tu ne vois pas qu'il s'agit d'un piège que la Chose nous a tendu. Moi, je ne m'y risquerais pas, ce sont peut-être des cassettes hypnotisantes porteuses d'une malédiction quelconque ou pire...

— Eh bien, si tu veux mon avis, on devrait en regarder au moins une, suggère Jean-Christophe. Juste un petit bout, deux ou trois minutes pas plus.

— Oui, oui ! allez, tu t'en fais peut-être pour rien, poursuit Marjorie. C'est peut-être tout simplement deux films de série B remplis de gros monstres en caoutchouc mousse tout ratatinés qui ne font même pas peur.

— MMMM ! d'accord... acquiesces-tu à contrecœur. Mais ne dites pas que je ne vous avais pas prévenus. »

Allez au chapitre 94 pour choisir celle des deux cassettes vidéo que vous allez regarder.

64

Tu te sens vraiment bizarre...

Affligé d'un mal de tête insupportable, tu gardes les yeux fermés. Tu ne sais pas pourquoi, mais tout ce sang qui te monte à la tête te donne un de ces mal de crâne ! Parlant de SANG, tu sens tes souvenirs te revenir tranquillement, le grenier, cette horrible tête d'ours qui ne cessait pas de te dévisager, ces chauves-souris, ton cou et enfin... TOUT CE SANG !

« OUI ! te rappelles-tu soudain. J'AI ÉTÉ MORDU PAR LES CHAUVES-SOURIS VAMPIRES ! »

Tu préférerais rester là sans bouger, mais c'est plus fort que toi, tu ouvres un œil et ensuite l'autre. À côté de toi, Jean-Christophe et Marjorie roupillent, les bras repliés sur la poitrine. Tête en bas, ils sont suspendus à une solive du grenier... COMME TOI !

Vous allez dormir dans cette position toute la journée avant de vous envoler dans l'obscurité de la nuit en quête de victimes, comme font tous les vampires...

Il faut voir les choses du bon côté : tu as de nouveaux amis maintenant. Et en plus, tu peux rentrer très tard...

FIN

65

Jean-Christophe se relève de derrière le lit...

« Euh ! je vous demande pardon de vous avoir dérangé, esprit du miroir, s'excuse-t-il d'un ton timide. Mais nous nous demandions pourquoi vous venez hanter cette chambre la nuit venue. Nous n'avons rien fait qui justifie un tel sort.

— Mortels, jeeuuu ne suis pas celui que vous cherchez, répond le spectre. Mon apparence repoussante vous fait peut-être croire que je suis méchant, mais mon visage livide et mon regard fixe et sans vie ne sont que le résultat de longues années passées dans les ténèbres de ce miroir.

— Si tu n'es pas celui que nous cherchons, demandes-tu à l'esprit, en sortant la tête de ton repaire, peux-tu au moins nous dire qui est cette Chose que nous cherchons ?

— Cette Chose que vous pourchassez finira par disparaître d'elle-même, une nuit, t'explique l'esprit du miroir.

— Alors si j'en crois ce que vous dites, conclus-tu, je n'ai plus à m'en faire, car une certaine nuit, elle me fera une dernière visite et quittera ma chambre à tout jamais ?

— Oui, mais lorsque cette nuuuiiiit arrivera, poursuit l'esprit, lorsqu'elle retournera pour toujours dans les profondeurs cachées de ta maison... ELLE T'EMPORTERA AVEC ELLE ! »

Mouille ton doigt tout tremblotant et tourne les pages de ton Passepeur jusqu'au chapitre 22.

66

Tu fixes le miroir et tu constates qu'il ne te renvoie pas ton reflet. Par contre, toi tu y vois Marjorie et Jean-Christophe. Ils se tiennent immobiles devant la commode, figés comme des glaçons.

Du bon côté du miroir, le temps semble s'être arrêté.

Tu poses le doigt sur la surface du miroir et il passe facilement au travers. Voyant cela, tu le retires très vite.

« Ça y est ! t'exclames-tu. Je n'ai qu'à traverser et je me retrouverai à nouveau dans le monde réel où tout est à l'endroit ! »

Tu t'approches lentement du miroir, mais tu t'arrêtes lorsque tu aperçois, derrière tes amis, une main horrible et une longue queue écailleuse jaillir de sous ton lit.

« La Chose ! » laisses-tu échapper avec une grimace épouvantée.

Tu observes bouche bée ses doigts répugnants fouiller sous tes couvertures. ELLE TE CHERCHE !

Puis, ne trouvant rien d'autre qu'un oreiller et des couvertures défaites, elle s'évapore sous le lit...

Tu as réussi à savoir où elle se cache ! Passe le miroir et retrouve tes amis au chapitre 5.

Sur Internet, vous visitez le site de la municipalité de Sombreville. La maison que tu habites avec tes parents est très vieille, elle fait sans doute partie du patrimoine architectural de la ville. Elle a été construite en 1896, très précisément. Tu ne peux pas l'oublier, c'est gravé sur la pierre juste au-dessus de la porte d'entrée. D'ailleurs, beaucoup de gens confondent cette date avec votre adresse.

Vous y êtes ! Sur l'écran de ton ordinateur apparaît une photo de la maison des Karmoff, celle qui est juste au coin de la rue. Tu cliques sur l'icône « PAGE SUIVANTE », **CLIC** ! L'image tarde à venir, mais il s'agit bel et bien de ta maison.

« COOL ! » fais-tu.

Tu cliques sur l'icône " DÉTAILS ", et une longue liste apparaît...

« Architecte, construction, superficie, clé... énumère Jean-Christophe. Bois, briques...

— CLÉ ! » Te montre Marjorie en posant son doigt sur l'écran.

Tu double cliques sur le mot clé, et un court texte apparaît : « On peut encore aujourd'hui trouver plusieurs de ces vieilles clés remisées tous près des serrures qu'elles ouvrent. »

D'un bond, tu te lèves et tu te rends au chapitre 61.

« Non ! fais-tu en te grattant la tête. Ce n'est rien. C'était juste une impression. Mais vaut tout de même mieux rester sur nos gardes. »

Vous avancez timidement vers le fond de la grotte.

« Pas facile de garder l'équilibre sur ce sol mou, se plaint Marjorie. Et en plus, c'est tout collant... »

Pour ne pas tomber, tu avances à tâtons contre la paroi gluante. Une fois sous l'unique stalactite suspendue à la voûte de la grotte, un autre gargouillis se fait entendre.

GLOOOUURB !

Le visage déformé par l'inquiétude, tu t'arrêtes. Lorsque tu te penches pour scruter les profondeurs de la grotte, un rot percutant ROOOOOOOOO ! te jette au sol. Tu n'oses plus bouger...

Ensuite, un courant d'air transportant une forte puanteur fait virevolter tes cheveux.

« Je crois que nous avons un problème, murmures-tu à tes amis. Un problème de taille. Nous ne sommes pas dans une grotte, nous sommes dans... UNE GUEULE DE MONSTRE ! »

Cherche le chapitre 92.

69

Tu ne peux pas parler, car la stupeur te soude les mâchoires. Tu as mal déchiffré les signes et tu te retrouves de l'autre côté du miroir dans... LE MONDE À L'ENVERS ! Tous les élèves te regardent. Il n'y a rien d'autre à faire que de commencer le cours. Par quoi vais-je commencer ? Biologie ! songes-tu au fin fond de toi-même. Oui, tu as de bonnes notes en bio, ça devrait donc être facile...

Au moment où tu prends le bâtonnet de craie pour écrire au tableau, un élève lance un avion de papier dans la classe. L'avion survole une rangée de pupitres, effectue une vrille sous le ventilateur suspendu au plafond et fait un atterrissage parfait sur ta tête.

Des rires fusent de toutes parts.

Insulté, tu te retournes rapidement avec l'avion de papier planté dans les cheveux. Ton père est debout et sourit innocemment. Pas besoin d'être détective pour comprendre qu'il est le coupable.

Le regard furieux, tu lui imposes double devoirs et double leçons pour le soir ; ça va lui enlever le goût de recommencer...

Ton père se rassoit, pas content du tout de s'être fait prendre.

Maintenant, va au chapitre 18.

70

NON, TU NE RÊVES PAS !

Accrochées aux solives du plafond, il y a un groupe de chauves-souris vampires. Elles déploient leurs ailes et se réveillent lentement. Tu te mets à paniquer lorsque tu te rends compte que c'est l'odeur irrésistible du sang frais qui les a sorties de leur sommeil... VOTRE SANG !

La plus grosse ouvre grand ses ailes raides et noires et s'envole dans le grenier. Elle tournoie autour des poutres et des montants de bois, puis s'élance vers vous.

FLAP ! FLAP ! FLAP !

Vous essayez de vous éloigner en zigzaguant entre les vieux meubles. Tu tournes la tête au-dessus de ton épaule pour te rendre compte... QU'ELLE EST JUSTE DERRIÈRE TOI !

VITE ! Tourne les pages de ton Passepeur jusqu'au chapitre 79.

71

Le fauve s'abat sur le sol et exprime sa douleur par des cris perçants. HRUII ! HRUII !

Dans la foule, les fantômes s'agitent, hurlent et manifestent leur mécontentement, OOOOUUUUUUUUUUH !

« Je crois qu'ils avaient tous pris la part de ce fauve mutant, lance Marjorie. PARDONNEZ-NOUS DE VOUS DÉCEVOIR ! » leur lance-t-elle pour les narguer.

Hors de lui, le gros ogre envoie, du haut de son estrade, un autre signe à la foule. La lourde porte grillagée s'ouvre encore une fois, et vous arrivez nez à nez avec la seconde partie du spectacle : trois gladiateurs, armés d'un filet, d'un trident et d'un glaive, attendent leur tour derrière le grillage.

La foule survoltée applaudit à tout rompre ses préférés. CLAP ! CLAP ! CLAP !

Le rétiaire pointe son trident vers toi et fait tournoyer son filet au-dessus de sa tête. Les deux mirmillons armés de leurs glaives avancent vers tes amis...

Si tu te sens capable de te battre jusqu'à la mort, rends-toi au chapitre 53.

72

Tu ne peux détacher les yeux de cette flaque qu'est devenu le mouton de poussière

« Il a son compte, soupire Jean-Christophe. Personne ne va jamais nous croire, de la poussière vivante...

— C'est sûrement une malédiction, déduit Marjorie. As-tu crevé une verrue sur le nez d'une sorcière dernièrement ? Tiré les poils d'un loup-garou ou peut-être piqué le dentier d'un vampire ?

— Arrête, s'impatiente son frère. Tu n'es pas drôle. Ce n'est pas normal tout ça, et cette Chose ne doit certainement pas y être étrangère...

— Nous n'avons pas le choix, il faut trouver une façon d'ouvrir la trappe pour savoir ce qui se passe là-dessous, proposes-tu.

— Comment ? demande Marjorie. Nous n'avons pas d'outils, et la petite porte est en bois massif et elle est toute cloutée. »

Le visage de Jean-Christophe s'illumine...

« Je crois que j'ai une idée, s'exclame-t-il. Ouvre ton ordinateur. Après tout, on peut trouver toutes sortes de renseignements sur Internet.

— Il s'agit de savoir où chercher, se rappelle Marjorie. C'est ce que mon prof d'informatique dit toujours. »

Appuie sur le bouton de mise en marche de ton ordinateur et rends-toi ensuite au chapitre 67.

73

Les piles de ta lampe ne fonctionnent plus. Tu tombes presque lorsque tu arrives au pied de l'escalier. Les bras tendus devant toi, tu avances jusqu'à ce que tu touches quelque chose... DE MOU ET DE CHAUD !

Tu recules. Ta tête heurte un objet suspendu. C'est une ampoule. Tu tires sur la petite chaînette de l'interrupteur et **CLIC** !

Tu as devant toi un horrible monstre constitué d'une multitude de mains agglutinées les unes aux autres. Tout son corps se met à vibrer, et une grosse paupière s'ouvre. Son unique œil scintille, roule dans son orbite et vous fixe. Jean-Christophe tripote nerveusement le sac à dos de Marjorie pour en sortir le pistolet à « gloub », qu'il te tend aussitôt. Tu pointes le pistolet vers la créature qui se met à avancer vers toi dans un gémissement presque humain, **YYYAAAAA !** Vas-tu réussir à l'atteindre avec ton pistolet ? Pour le savoir...

...TOURNE LES PAGES DU DESTIN et vise bien.

Si tu l'atteins de plein fouet, rends-toi au chapitre 52.

Par contre si tu l'as raté, essayez de vous enfuir par le chapitre 62.

74

« Attendez-moi ici, à la porte de ma chambre, leur demandes-tu. Je crois que j'ai l'arme qu'il nous faut. »

Après t'être faufilé discrètement jusqu'au sous-sol, tu remontes jusqu'à la porte de ta chambre avec... L'ASPI-RATEUR !

« C'est ça ton arme parfaite ? gémit Marjorie.

— Occupe-toi d'ouvrir et laisse-moi faire, » lui dis-tu en mettant l'aspirateur sous tension.

Marjorie tourne la poignée et ouvre la porte. Tu mets en marche l'aspirateur et tu te jettes dans la chambre en pointant le long tuyau dans toutes les directions, comme le font les agents secrets avec leur revolver au cours d'une mission. Mais il n'y a rien qui bouge. À part le ronron-nement rauque de l'aspirateur, **ROOUUUUH** ! il n'y a aucun bruit... Tu te penches et regardes partout sous tous les meubles sans les trouver.

« Mais ça n'a aucun sens, dit Marjorie, toute débous-solée. Il n'y a en plus un seul ; où sont-ils passés ? »

Tu es sur le point de crier victoire lorsque tu remarques que la trappe sous ton lit est maintenant... OUVERTE ! Tu t'avance pour regarder, et l'horrible main de la Chose jaillit et te saisit. Elle te tire inexorablement dans la trappe qui se referme et se verrouille... **CHLIKK** !

Tu tenais à voir ce qu'il y avait sous cette trappe. Eh bien, tu as le guide parfait pour te faire visiter...

FIN

Jean-Christophe sort la tête et regarde le miroir abasourdi.

« Nous l'avons trouvée cette Chose ! lance-t-il ensuite, tout fier de son coup. Nous l'avons trouvée, il ne suffisait que d'une bougie et **POUF** ! C'était si simple que c'en était ridicule...

— Je ne voudrais pas jouer les rabat-joie, l'interromps-tu. Mais c'est la première fois que je vois ce visage.

— QUOI ? crache Marjorie.

— Ce n'est pas la Chose, leur expliques-tu. Je ne sais pas ce qui se passe ici, mais cet esprit du miroir n'est pas la créature qui vient me hanter la nuit, un point c'est tout ! »

— Je crois que tous ces monstres que nous avons pourchassés par le passé ont finalement décidé de se venger des Téméraires, bredouille Marjorie en baissant les épaules.

— Ça expliquerait bien des choses, en tout cas, » te mets-tu à penser.

Tandis que vous réfléchissez, une buée se forme sur la surface du miroir, et un doigt invisible se met à tracer des lettres et des signes...

Rends-toi au chapitre 85 et approche-toi du miroir.

76

Vous faites tous les trois un bond en arrière.

Foulant de leurs petits pieds l'épaisse moquette de ta chambre, quatre petits monstres foncent gueule grande ouverte vers toi. Tu roules sur ton lit et tu attrapes ton oreiller. Debout, tu t'élances et tu frappes partout à la fois.

VLAN ! VLAN !

Marjorie et Jean-Christophe, qui ont trouvé refuge dans ton placard, tentent de fermer la porte et font la guerre à une bonne dizaine de petits monstres.

Mais c'est perdu d'avance, car d'autres monstres traversent l'écran de la télé et viennent se joindre aux autres pour ce qui sera sans doute pour eux... UN GRAND FESTIN !

FIN

77

Vous cherchez tous les trois partout dans la pièce sans trouver de sortie. Le miroir est votre seule issue, votre seule chance. Marjorie se tient devant le miroir et palpe le verre. Dans la pièce sombre où règne une odeur de moisissure, un curieux sifflement se fait soudainement entendre. S|||||| ! Tu cherches sa provenance...

Jean-Christophe hoche légèrement la tête en direction d'une ombre vaguement humaine qui se matérialise peu à peu au beau milieu de la pièce. Tu sens ton corps se ramollir, et tes nerfs commencent à t'abandonner.

« Je crois que je vais être malade, réalises-tu. Marjorie avait raison encore une fois ; elle et ses mauvais présages. Nous nous sommes encore mis dans de sales draps ! »

Jean-Christophe recule vers toi en titubant. Marjorie reste immobile, elle aussi, comme toi... pétrifiée ! Tu te ressaisis et tu donnes un coup de coude à Jean-Christophe pour qu'il te refile vite le pistolet à « gloub »...

Vas-tu réussir à atteindre ce fantôme avec ton pistolet ? Pour le savoir...

...TOURNE LES PAGES DU DESTIN et vise bien.

Si tu réussis à l'atteindre, va au chapitre 108.
Par contre, si tu le rate, va au chapitre 19.

Le film rembobiné, tu presses sur le bouton de mise en marche du magnétoscope. Assis tous les trois sur la moquette, les yeux rivés au petit écran, vous regardez sans parler le film qui défile sous vos yeux.

Marjorie plonge ses doigts dans sa bouche et se met à ronger ses ongles. Du coin de l'œil, son frère l'aperçoit et lui administre une petite taloche sur la main.

TAP !

Dans un premier temps, rien de bien particulier ne se passe. Sur l'écran, tu peux te voir en train de faire tes devoirs et étudier tes leçons. Mais le moment crucial arrive bientôt, car tu sais que c'est lorsque tu te couches et que tu t'endors que cette Chose apparaît...

Le temps passe et sur ton front, de petites gouttelettes de sueur commencent à se former. Si tu n'étais pas aussi effrayé, tu trouverais drôle de te voir à l'écran, comme ça, endormi dans ton lit.

Vous patientez plusieurs minutes avant de voir enfin apparaître... UNE GRANDE SILHOUETTE SOMBRE !

Tu fonces vers la télé et tu poses ton index sur l'écran...

« LÀ ! t'écries-tu en montrant le dessous de ton lit. Voilà où se trouve l'entrée de son repaire ! »

Retournez au chapitre 4, vous savez où chercher maintenant...

79

Pour éviter d'être harponné par ses longues canines meurtrières, tu plonges sur un vieux sofa en emmenant avec toi tes deux amis.

POUF !

La chauve-souris disparaît dans la partie la plus sombre du grenier. Tu regardes autour de toi et constates que vous êtes coincés entre une grosse malle et un grand meuble recouvert d'un drap crasseux. Tu essaies de revenir en arrière, mais elle fonce à nouveau vers vous, la bouche grande ouverte, les yeux rougis de rage. Tu pousses de toutes tes forces sur la malle, mais elle ne bouge pas d'un poil.

VOUS NE POUVEZ PLUS FUIR !

Jean-Christophe plonge la main dans le sac à dos de sa sœur pour prendre le pistolet à « gloub ». Tu le lui arraches des mains et tu pointes tout de suite l'arme en direction de la chauve-souris.

Vas-tu réussir à l'atteindre avec ton pistolet ? Pour le savoir...

...TOURNE LES PAGES DU DESTIN et vise bien.

Si tu l'atteins de plein fouet, rends-toi au chapitre 27.
Par contre si tu la rates, va au chapitre 98.

« C'est peut-être un miroir truqué ? réfléchit Marjorie. J'ai comme l'impression que ça va mal se finir tout ça, on ne devrait pas essayer de le traverser.

— PFOU ! fait son frère. T'as peur pour rien. Et puis ce n'est pas en demeurant ici comme des idiots que nous allons savoir ce qu'il cache. »

Jean-Christophe donne une poussée à sa sœur qui traverse le miroir la première. Ensuite Jean-Christophe le traverse à son tour et finalement, il te prend la main et te tire toi aussi. Tu fermes les yeux et tu t'attends au choc.

« Je ne peux pas croire que je vais traverser ce miroir sans me faire mal, te dis-tu. Je vais m'écraser le visage sur la surface de verre », ajoutes-tu avant de sentir ton corps pénétrer dans une sorte de liquide, comme s'il s'agissait d'une baignoire placée à la verticale.

BLOURB !

Tu ouvres les yeux pour te rendre compte que vous avez réussi et que vous vous retrouvez dans une grande pièce remplie de montres, de porte-monnaie, de chapeaux et de foulards. Perchées sur des moulures, des dizaines de colombes blanches contrastent avec les murs et le plafond qui sont peints en noir. Sur l'un des murs, il n'y a que le grand ovale du miroir en travers duquel tu peux apercevoir ta chambre.

Tu t'approches...

Va au chapitre 44, si ton cœur tient jusque là...

81

Tu avances, suivi de tes amis, dans ce passage assez exigu. Il fait tellement noir, et toute cette poussière te sèche la gorge. C'est tellement étroit ici que tes jambes n'ont pas de place pour trembler…

« Dites-le moi si je me trompe, demande Marjorie, mais c'est bien ici qu'a lieu la rencontre annuelle des claustrophobes de Sombreville ?

— Arrête tes conneries Madame Blague-pas-drôle, gronde son frère. Et avance... »

Le sol devient tout à coup irrégulier. Tu glisses les pieds prudemment en marchant de côté comme un crabe. Soudain, tu découvres un escalier parfaitement droit qui s'enfonce sous le sol. Jean-Christophe étire le cou pour sonder sa profondeur. Un gros rat assis au centre de l'escalier branle ses moustaches et disparaît en sautant d'une marche à l'autre. Vous descendez à pas mesurés chacune des marches. Un petit cri se fait entendre, et son écho retentit dans tout le tunnel. Tu lèves les yeux. Des centaines de chauves-souris sont perchées, tête en bas, au plafond. Marjorie relève son chandail par-dessus sa tête. Elle aussi a entendu parler de ces histoires de chauve-souris qui viennent se prendre dans les cheveux des gens.

Vous accélérez le pas, car le faisceau de la lampe faiblit. Vous descendez jusqu'au chapitre 73.

Jean-Christophe se met à arpenter ta chambre de long en large tout en réfléchissant. Puis, au bout d'un moment, son visage s'illumine. Une idée vient de surgir dans sa tête. Il retire la cassette du magnétoscope et examine la bande.

« OUI ! s'exclame-t-il. C'est bien ce que je croyais. Regardez la bande magnétique, vous demande-t-il en vous montrant la cassette. Nous nous trouvons au beau milieu de ce film. Nous avons donc deux possibilités : nous pouvons le rembobiner pour voir par où cette Chose est passée pour entrer dans ta chambre ou, si tu préfères, nous pouvons avancer la bande pour savoir où va nous conduire cette histoire. En fait, avec cette cassette, nous avons la possibilité de... CONNAÎTRE L'AVENIR ! »

Remets la cassette dans ton magnétoscope et rends-toi au chapitre indiqué sur le bouton que tu auras choisi...

83

À l'intérieur de l'école tu te rends compte que tu es en retard car les corridors sont vides. Tu marches avec diligence vers ta classe : la 501. Un brouhaha inhabituel semble l'animer ce matin. Très inhabituel, car la 501 est réputée pour être la classe la plus sérieuse de l'école.

À l'entrée, tu t'arrêtes pour reprendre ton souffle quelques secondes et tu entres...

Lorsque tu te pointes le bout du nez, un silence total s'installe dans la classe, comme si la foudre s'était abattue sur chacun des élèves. Saisi par ce calme désarmant, tu restes immobile devant tout le monde. De tes yeux, tu cherches ton pupitre et tu constates qu'il est pris... PAR TON PÈRE !

Le seul pupitre libre dans la classe est en fait celui du prof... TA PLACE !

Rends-toi au chapitre 69.

84

RATÉ !

Tu essaies d'appuyer à nouveau sur la détente du pistolet vaporisateur, mais rien à faire, il s'est enrayé. Le gros ver s'enroule autour de la jambe de ton ami. Marjorie fonce vers le parasite et lui administre une taloche monumentale en espérant frapper la tête.

VLAN !

Le gros ver lâche prise et agonise en roulant sur lui-même dans le liquide.

Le dos courbé, vous courez du mieux que vous le pouvez dans le gros boyau. Plus vous avancez et plus l'air se fait rare, tellement que vous avez beaucoup de difficulté à respirer. Tu t'arrêtes complètement, à bout de souffle.

De légers clapotis se font entendre derrière vous et devant vous.

PLIC ! PLIC ! PLIC !

Tu dresses l'oreille. Tu cherches des deux côtés du boyau, mais tu n'entends plus rien. Tu jurerais pourtant que quelque chose s'approche. Tu observes la surface du liquide qui tapisse le fond du boyau tortueux : de curieux sillons se forment à la surface.

Un frisson d'horreur te traverse tout le corps lorsque tu constates que vous êtes entourés par des dizaines de ces parasites, qui en fait infestent les entrailles du monstre, et que vous n'avez plus aucune chance de vous en sortir.

FAIN

85

Le doigt invisible a tracé toutes sortes de signes étranges sur le miroir. Intrigué, tu t'approches. Des lettres grossièrement tracées forment les mots : la Chose. Peut-être qu'on cherche à t'indiquer le numéro du chapitre qui te conduira au repère même de la Chose qui te hante depuis des jours. Qui pourrait bien vouloir te fournir un si précieux renseignement ? L'esprit du miroir ? C'est peut-être un piège de la Chose elle-même, te mets-tu tout à coup à penser. TU ESSAIES DE DÉCHIFFRER LE MESSAGE !

Regarde bien cette illustration du miroir. Ces signes t'indiquent-ils d'aller au chapitre 37 ou au chapitre 80 ?

Vous entendez soudain des petits bruits.

CRR ! CRR ! CRR !

Sur le qui-vive, tu regardes autour de toi et dans chaque recoin du grenier. Tu n'es pas trop sûr, mais quelque chose a bougé ; oui, mais quoi ?

Regarde bien cette autre illustration du grenier. Elle est différente de la précédente. Si tu réussis à trouver en quoi elle diffère, tu auras du même coup trouvé ce qui a bougé et qui a fait ces petits bruits. Si tu y arrives, va au chapitre 70.

Par contre, si tu ne réussis pas à voir la différence, fais tes prières et rends-toi au chapitre 57.

87

La revenante vous explique que ce miroir appartient à un magicien qui utilisait ses dons pour voler les gens.

« Ça expliquerait tous ces porte-monnaie vides qui traînent partout, réfléchit tout haut Marjorie.

— Le soir où j'ai tout découvert, raconte Anne, je l'ai menacé de tout raconter à la police s'il ne rapportait pas lui-même les objets qu'il avait subtilisés aux spectateurs. Il s'est d'abord excusé et m'a promis ensuite de tout remettre ce qu'il avait volé à ses victimes. Mais le lendemain, lors de la répétition, au moment où je me trouvais seule avec lui sur la scène, il a lancé un peu de sa poudre brillante sur ma tête et il a prononcé quelques paroles magiques ; je me suis retrouvée ici, enfermée de l'autre côté de son horrible miroir. Je vous conseille donc de retourner le plus vite possible d'où vous venez mes amis si vous ne voulez pas subir le même sort.

— C'est impossible, soupire Marjorie.

— Impossible, non, car voyez-vous, vous explique Anne, il vous faut ressortir du miroir dans le même ordre que lorsque vous y êtes entrés... »

Est-ce que tu t'en souviens ?

Si tu penses que vous avez franchi le miroir dans l'ordre suivant : Marjorie, Jean-Christophe et toi, va au chapitre 114.

Par contre, si tu crois que c'est dans cet ordre : Jean-Christophe, toi et finalement Marjorie, rends-toi au chapitre 8.

88

« Je suis captif de ce miroir depuis beaucoup trop longtemps, explique l'esprit. Rendez-moi ma liberté et, en échange, je vous révélerai tout ce que vous voulez savoir sur la Chose.

— Qu'est-ce que nous devons faire pour vous libérer ? demande Marjorie. Briser le miroir ? Détruire la commode ?

— Rien de tout cela ! répond l'esprit. Des fers aux pieds me retiennent prisonnier. Traversez tous les trois le miroir et enlevez-les-moi... »

Tu examines le miroir en te demandant si l'esprit essaie de vous tendre un piège.

Si tu crois qu'il vous a raconté la vérité, passe le miroir et va au chapitre 104.

Par contre, si tu ne lui fais pas confiance du tout, va au chapitre 56.

Vous reculez tous les trois afin de vous mettre à l'abri dans ton placard. Les petits monstres bondissent et s'agrippent à la porte, avant que tu ne puisses la refermer.

Les deux mains solidement ancrées à la poignée, tu leur fais la guerre jusqu'à ce que tu aies réussi.

BANG !

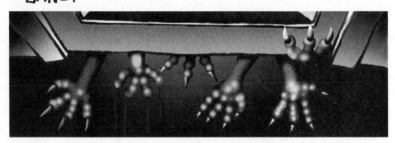

Une multitude de petites mains aux ongles crochus essaient de t'attraper les pieds par l'ouverture au bas de la porte. Tu exécutes quelques pas de danse pour les éviter. Comme des enragés, ils se jettent ensuite sur la porte et se mettent à gratter le bois frénétiquement.

CRICH ! CRICH ! CRICH !

À côté de toi, cachée entre tes vêtements suspendus, Marjorie, toute tremblante, essaie de mettre sa peur en échec. Tu croises les doigts et tu attends en espérant que la porte tiendra le coup.

Allez au chapitre 113.

90

« Qu'est-ce qui se passe ici ? » grogne ton père, les yeux tout ronds, en vous apercevant.

Marjorie et Jean-Christophe restent debout derrière toi et fixent le plancher.

« Je suis désolé papa, essaies-tu de lui dire. Mais nous...

— NON ! te gronde-t-il, ses sourcils rabattus sur ses yeux brillants de colère. À cette heure, la seule chose qui devrait sortir de ta bouche devrait être des ronflements et non pas des excuses. Monte dans ta chambre tout de suite. Je vais appeler les parents de tes amis pour qu'ils viennent les chercher. »

Tu gravis les marches deux à la fois jusqu'à ta chambre où tu te retrouves encore une fois... SEUL !

Emmitouflé sous les couvertures, tu n'arrives pas à fermer l'œil, car la peur t'empêche de dormir.

CLAC ! CLAC ! CLAC !

Oui, le bruit de la peur, qui est en fait le bruit de tes dents qui claquent... QUI CLAQUENT !

CLAC ! CLAC ! CLAC ! CLAC !

FIN

91

Tu brandis la clé haut dans les airs...

« Je l'ai trouvée ! t'écries-tu sous le regard surpris de tes amis.

— Sensass ! » fait Marjorie en te tapant dans la main.

Tu plantes la clé dans la serrure. Elle tourne sans effort malgré la rouille, CHLIC !

Jean-Christophe soulève la petite porte qui se met à grincer sur ses gonds.

Tu passes tout de suite un pied dans l'ouverture, mais POUM ! ton espadrille se bute... À UN PLANCHER DE BÉTON !

Marjorie éclate de rire...

« HA ! HA ! HA !...

— Comment est-ce possible ? s'étonne Jean-Christophe. Sommes-nous en train de perdre la boule ? Il y avait bien un escalier lorsque nous avons regardé par le trou de la serrure tantôt n'est-ce pas ? »

Tu veux ouvrir la bouche pour lui répondre, mais tu ne peux même pas bouger un muscle de ton visage tellement tu es abasourdi.

« C'est très curieux, dit-il à mi-voix. J'ai l'impression que nous ne sommes pas très loin de découvrir ce qui se passe ici, dans ta chambre... »

Retournez au chapitre 4 et n'oubliez pas... VOUS ÉTIEZ SUR LA BONNE VOIE...

Vous vous ruez vers cette bouche gigantesque aux dents serrées.

Tu frappes à coups redoublés sur les molaires et les incisives géantes, mais rien à faire, votre ouverture vers la liberté demeure solidement fermée.

L'énorme langue se tortille sous vos pieds et finit par vous pousser dans l'œsophage.

GLOUB !

Tu essaies de t'agripper à la paroi gluante, mais ça ne sert à rien. Plus bas, tu entends les gargouillis menaçants de son estomac vide sur le point de se remplir. Vous chutez encore de plusieurs mètres avant de plonger tête première dans les sucs visqueux du gros organe.

Tout près, un cadavre d'animal en voie d'être digéré, comme vous, flotte dans le liquide verdâtre.

Tu cherches tout autour, et au bout de quelques secondes, tu réalises qu'il n'y a pas d'issue...

Difficile à digérer, cette...

FIN

93

Jean-Christophe remet la cassette dans le magnétoscope et presse le bouton d'avance rapide. La bande avance très vite. Au bout d'une minute, il presse le bouton de lecture. Tout de suite, vous apparaissez tous les trois à l'écran de la télé. Vous êtes dans une espèce de grande grotte, devant un temple orné de sculptures bizarres.

« MAIS C'EST NOUS ! s'étonne Marjorie. Mais je ne comprends pas, nous ne sommes jamais allés à cet endroit...

— C'est que ce n'est pas encore arrivé, lui explique son frère. C'EST LE FUTUR ! »

Les yeux rivés sur l'écran, tu te vois saisir un des flambeaux plantés au mur pour ensuite t'engouffrer à l'intérieur du temple.

« Il n'y a pas de doute, te dit Jean-Christophe. Nous allons finir par trouver le repaire de la Chose. Ce film en est la preuve.

— Oui, mais il s'agit maintenant de la trouver, cette grotte, vous souligne Marjorie.

— Nous faisons fausse route en cherchant dans ma chambre, penses-tu tout haut. S'il existe dans cette maison un passage pouvant mener à cette grotte, c'est au sous-sol que nous allons le trouver... »

Allez sans tarder au chapitre 9.

Tu observes silencieusement les deux cassettes vidéo, tout en réfléchissant. Tu as vu des tonnes de films d'horreur, mais rien ne se compare aux monstres abominables qui se trouvent sur la jaquette de ces cassettes. Non ! Jamais rien vu de tel...

Rends-toi au chapitre indiqué sur la cassette que tu auras choisie.

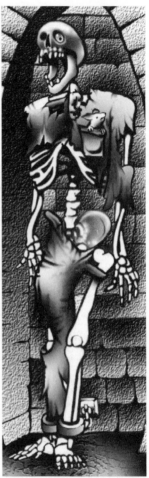

Fatigué de marcher, tu t'assois par terre en indien. Du regard, tu sondes le corridor qui s'étend à l'infini. Tu examines ensuite le squelette qui est à ta droite. Comme tous les autres, il porte des vêtements en lambeaux, mais chose curieuse, il a lui aussi encore... UN SEUL ŒIL !

D'un seul bond, tu te relèves et tu remarques que tous les squelettes sont identiques... C'est le vestibule des damnés ! Tu te rappelles avoir lu dans l'Encyclopédie noire de l'épouvante que ce vestibule maudit s'étendra à jamais sous vos pas tant et aussi longtemps que vous ne découvrirez pas ce qui différencie le squelette devant vous de tous les autres...

Si tu crois qu'il s'agit de la souris qui se trouve dans sa poche, rends-toi au chapitre 23.

Si tu penses plutôt que se sont les fers à ses pieds, va au chapitre 102.

96

Tes yeux s'agrandissent de terreur lorsque tu aperçois, accroché à un cintre... UN LONG MANTEAU DE FOURRURE BRUN !

« Le manteau de fourrure, dis-tu à tes amis en essayant de contrôler les tremblements dans ta voix. Je n'ai jamais eu de manteau de fourrure...

— Oui et puis après ? te demande innocemment Marjorie.

— Tu as déjà vu ça un manteau de fourrure avec des yeux et des dents toi ?

— OUPS ! fait-elle en tombant à la renverse sur le lit.

— FERME LA PORTE ! t'ordonne Jean-Christophe... VITE ! »

Une main poilue apparaît dans l'embrasure de la porte juste avant que tu puisses la refermer. Le dos appuyé à la porte, les pieds bien ancrés dans le tapis, tu pousses de toutes tes forces. Qu'allez-vous faire ?

Pousser le lit devant la porte pour l'empêcher de sortir ? Alors va au chapitre 28.

Envoyer Marjorie chercher ton père ? Dans ce cas, rends-toi au chapitre 106.

Ou bien, tout simplement, faire face à ce monstre ? Après tout, vous êtes les Téméraires de l'horreur. Allez alors au chapitre 30.

97

Tu essaies de refermer la porte, mais c'est trop tard... Droit devant toi surgit une horrible bête poilue aux griffes meurtrières. Elle bondit hors de ton placard et se met à te dévisager de ses yeux rougis par les veines gonflées de sang. Avec sa grosse langue blanchâtre, elle badigeonne de bave ses lèvres.

Tu restes planté là, incapable de bouger le moindre muscle...

La bête te pousse violemment du revers de sa large main et attrape Marjorie, qui essayait de s'enfuir.

Tu tombes sur le derrière.

BANG !

Sur le dos, tu essaies de reculer rapidement. Les griffes meurtrières de la bête frappent dans le vide plusieurs fois, mais finissent par se planter dans ta jambe.

« AÏE ! » hurles-tu de douleur.

Tu essaies de t'agripper à ton lit, mais la bête te tire vers elle.

Un terrible rugissement remplit ta chambre lorsque tu disparais avec Marjorie dans les profondeurs ténébreuses de ton placard...

RRRRROOUUU !

FIN

98

Le jet de « gloub » va malheureusement s'aplatir sur une des poutres de bois, **SPLACH** !... TU L'AS RATÉ !

Une autre chauve-souris prend son envol, puis une autre et une autre encore… Tu leur lances le pistolet à « gloub » et tout ce qui te tombe sous la main, mais en vain. Les quatre chauves-souris s'élancent vers vous, gueules grandes ouvertes montrant leurs longues canines couvertes de bave. Vous courez dans tous les sens en les repoussant avec vos mains du mieux que vous pouvez.

Les chauves-souris finissent par vous entourer en volant en cercle autour de vous. D'autres se réveillent et viennent se joindre à la nuée hostile pour ce qui sera sans doute... LE BOIRE DE MINUIT !

Lorsqu'elles en auront fini avec vous, lorsqu'elles auront complètement assouvi leur soif de sang, il ne restera que vos carcasses desséchées, et vous tapisserez, comme la vieille peau d'ours, le plancher du grenier...

C'est malheureusement, pour toi et tes amis, la...

FIN

Quel endroit dégoûtant !

Tu te demandes bien comment vous allez faire pour vous sortir d'ici. Tu te dis qu'il faudrait peut-être trouver une façon de remonter dans la gorge de ce monstre pour ensuite essayer de sortir par sa bouche. Tu inspectes les parois de l'estomac et tu constates qu'elles sont gluantes, donc impossibles à gravir.

Derrière vous, tu crois apercevoir une galerie chaude et humide qui mène sans doute aux plus profondes entrailles de ce monstre géant. Vous vous y dirigez en pataugeant dans les sucs gastriques qui commencent à dissoudre vos vêtements et à vous pincer sérieusement la peau.

Devant vous, juste avant d'atteindre cette galerie, tu remarques un gros parasite tout blanc, sans yeux, qui se tortille dans ce liquide vert. Cet énorme ver long de deux mètres se jette sur Jean-Christophe et lui mordille l'espadrille.

Tu attrapes le pistolet à « gloub » et tu le pointes vers le parasite. Vas-tu réussir à l'atteindre ? Pour le savoir...

...TOURNE LES PAGES DU DESTIN et vise bien.

Si tu as réussi à l'atteindre, va au chapitre 103.
Par contre, si tu l'as raté, va au chapitre 84.

100

Comme vous êtes sur le point d'arriver à un carrefour, vous entendez un curieux bruit. On dirait que quelque chose râcle le sol en marchant ! Pour mieux entendre, tu prends une grande inspiration et tu la retiens...

« Je ne sais pas ce que c'est, mais ça vient vers nous, murmures-tu à tes amis.

— Regardez ces signes sur la paroi, remarque Marjorie. On dirait des indications. Il faut réussir à comprendre ce que ces symboles signifient... »

Étudie bien cette illustration. Dois-tu aller au chapitre 51 ou au chapitre 81 ? Cherche bien...

101

Le jet de « gloub » va plutôt s'aplatir sur la haute muraille qui entoure l'arène, **SPLACH**!... TU L'AS RATÉ ! Tu observes, figé par la peur, le fauve qui arrive à toute vitesse. Derrière lui, le lourd grillage se referme, **BANG**! Les yeux fermés et les dents serrées, tu attends le choc. LE FAUVE BONDIT ! À la dernière seconde, tu décides de te jeter par terre et tu réussis à éviter de justesse l'attaque. Il revient à la charge. Tu roules sur le sable et l'évite encore une fois. Cette fois-ci, par contre, un de ses crocs t'a tailladé le bras.

Marjorie et Jean-Christophe courent vers la porte grillagée, unissent leurs efforts et réussissent à la soulever. Du sang s'écoule de ta blessure. Couché sur le ventre, tu rampes pour te mettre à l'abri avec eux. Tes amis referment la porte grillagée et vous êtes tous les trois à l'abri. Vous courez dans les fondations de l'amphithéâtre sous les hurlements de la foule qui manifeste son mécontentement. Mais à peine avez-vous fait quelques pas que vous tombez nez-à-nez avec la seconde partie du spectacle : quatre gladiateurs fantômes armés de filets, de tridents et de glaives qui attendaient leur tour derrière le grillage. Et à en juger par leur stature, il est peu probable que vous vous en sortirez... VIVANTS !

FIN

102

« LES FERS À SES PIEDS ! cries-tu en les pointant du doigt.

Tu te retournes vers l'extrémité du vestibule ; au bout des deux rangées de squelettes, une porte vient d'apparaître.

— BRAVO ! Tu as trouvé la solution de l'énigme », se réjouit Marjorie.

Tu t'élances vers la porte et tu tournes la poignée. Le bruit d'un mécanisme qui s'enclenche résonne, CLIC ! CLIC ! CHLIC ! Vous n'avez pas le temps de prendre un pas de recul que le plancher se dérobe sous vos pieds, et vous tombez...

AAAAAAAAAH ! VLAN !

Qu'est-ce qui s'est passé ? Le visage dans le sable rouge, tu relèves la tête. Ton nez est à deux centimètres d'un bras sans corps et d'un tas d'entrailles desséchées. Tu as terriblement mal à la cheville, mais l'horreur qui se trouve devant toi t'empêche de crier ta douleur. Jean-Christophe t'aide à te remettre debout. Tu essaies de t'écarter de ces restants de table humains.

En reculant, tu accroches Marjorie qui examinait une grosse crotte d'animal ; elle titube et met le pied... EN PLEIN DEDANS !

Rends-toi au chapitre 107.

103

SPLOURB !

Tu l'as frappé de plein fouet.

Le gros ver se tortille de douleur, lâche prise et vient mourir à la surface des sucs gastriques verdâtres. Son cadavre flotte et glisse finalement vers le duodénum où il sera complètement digéré.

« OUF ! merci, te dit Jean-Christophe.

— Tu me remercieras lorsque nous serons sortis d'ici, lui dis-tu ; notre problème est loin d'être réglé.

— SORTIR D'ICI ! répète Marjorie à voix haute. Je ne vois pas comment, car je ne sais pas si t'as remarqué, mais une espèce de gros monstre nous a avalés, et nous sommes maintenant prisonniers dans ses entrailles. Et puis toi, poursuit-elle en regardant son frère, tu avais dit que ce vortex était une porte vers une autre dimension, pas la gueule d'un monstre...

— C'est ça, la quatrième dimension, lui explique-t-il. Chaque fois que nous franchirons le vortex, nous nous retrouverons dans un monde différent et plus étrange que le précédent.

— Ça ne m'étonne pas de nous, s'exclame Marjorie. Si nous nous retrouvons encore une fois dans un pétrin pareil, c'est parce qu'une fois encore nous avons agi comme des gribouilles. On devrait s'appeler les Gribouilles de l'horreur plutôt... »

Tu te retrouves au chapitre 54.

104

« Je ne sais pas trop si je dois vous faire confiance, dis-tu à l'esprit du miroir. Mais je souhaite désespérément savoir d'où vient cette Chose, lui avoues-tu finalement. Alors, marché conclu ! »

Tu tends la main vers le miroir et tu la retires rapidement lorsque tes doigts passent au travers du verre comme s'il n'était pas là.

L'esprit du miroir ricane en voyant ton visage crispé de stupeur.

HI ! HI ! HI ! HI !

Résolu à aller jusqu'au bout, tu serres les dents et tu plonges vers le miroir. Une légère sensation de picotement traverse tout ton corps lorsque tu traverses de l'autre côté. Quelques secondes plus tard, Marjorie te rejoint, suivie de Jean-Christophe.

Vous souriez tous les trois en apercevant ta chambre à travers du miroir ; l'image ondule comme la surface d'une baignoire remplie d'eau, mais à la verticale.

Comme convenu, vous libérez de ses fers l'esprit du miroir.

Allez au chapitre 60.

Au moment où tu te remets sur pied, un gargouillis atroce résonne et fait vibrer les parois ruisselantes de la grotte.

GLOOUUURB !

Tu regardes autour de toi avec une drôle d'impression.

« Il y a quelque chose qui cloche ! dis-tu finalement à tes amis. Je jurerais que la grotte elle-même... A CHANGÉ ! »

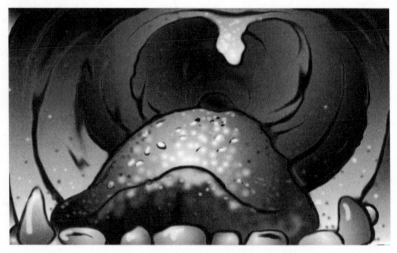

Observe bien cette nouvelle illustration. Si tu crois qu'elle est différente de l'autre, rends-toi au chapitre 110. Si, par contre, tu ne vois pas de différence, va au chapitre 68.

106

Marjorie se précipite hors de ta chambre et dévale l'escalier deux marches à la fois... Quand elle arrive au salon, ton père la regarde, éberlué !

« MARJORIE ! MAIS QU'EST-CE QUE TU FAIS ICI ? » s'écrie-t-il tout d'un trait.

Un fracas assourdissant survient de ta chambre.

BRAOOUUUM !

« Et qu'est-ce qui se passe là-haut ? fait-il en se levant de son fauteuil.

— Pas le temps de vous expliquer, se presse de lui dire Marjorie. VENEZ VITE ! »

Arrivé à la porte de ta chambre, ton père s'arrête, cloué sur place. On croirait qu'une bombe a explosé. TOUT EST À L'ENVERS ! Marjorie cherche partout sans trouver trace de la bête. Elle a disparu en t'emportant avec elle ainsi que ton ami Jean-Christophe...

« TU VAS M'EXPLIQUER TOUT DE SUITE CE QUI S'EST PASSÉ ICI ! » lui ordonne ton père en haussant le ton.

Marjorie le regarde, toute dépitée, en se demandant bien comment elle va faire pour lui faire comprendre que tout ceci est l'oeuvre d'un simple manteau de fourrure...

FIN

107

« Ah bravo ! gronde-t-elle, dégoûtée. Beau travail...

— Quoi ! Qu'est-ce que j'ai fait ? lui demandes-tu. Qu'est-ce que c'est que ce truc que tu as sur ton espadrille ?

— Ce sont les fientes d'un animal, qu'est-ce que tu crois, te dit-elle. Et comme mon grand-père disait : gros caca, gros animal. »

Sur vos gardes, vous cherchez autour de vous cet animal pour vous apercevoir que vous êtes vraiment mal tombés. Votre chute s'est terminée en plein centre d'une arène ovale sablée, entourée de gradins remplis de spectres, de fantômes et de créatures habillées de peaux d'animal. Le murmure sourd de la foule s'arrête lorsque, de l'estrade des dignitaires, une espèce de gros ogre couronné, genre prince des ténèbres, se lève et fait un geste de la main. Un bruit de chaîne se fait aussitôt entendre, CLING ! CLING ! Et la foule est en délire. Une porte grillagée se soulève et un énorme fauve à six pattes aux crocs acérés surgit. Tu donnes un coup de coude à Jean-Christophe pour qu'il te refile le pistolet à « gloub »...

Vas-tu réussir à l'atteindre ? Pour le savoir...

... TOURNE LES PAGES DU DESTIN et vise bien.

Si tu réussis à l'atteindre de plein fouet, va au chapitre 71.
Par contre, si tu l'as raté, va au chapitre 101.

Tu l'as atteint de plein fouet avec ton pistolet à « gloub ». Le fantôme s'écroule sur le sol en un gros bouillon de bave verte et rose, POUAH ! Avec précautions vous vous approchez.

« IL A SON COMPTE ! » dit Marjorie en se pinçant les narines pour éviter de respirer la puanteur qui se dégage de ce qui reste du spectre.

Les minutes passent, mais vous n'avez toujours pas réussi à trouver de quelle façon vous sortirez de cet endroit lugubre. Fatigués, vous vous assoyez, appuyés l'un contre l'autre, et vous roupillez quelques heures avant d'être réveillés par des bruits. D'un bond, tu te lèves et tu te diriges vers le miroir ovale. Dans ta chambre, de l'autre côté du miroir, c'est la confusion totale. Tes parents sont là avec des policiers. Ton père essaie de réconforter ta mère qui pleure, le visage enfoui dans ton oreiller. Tu frappes avec tes deux poings de toutes tes forces sur le verre épais.

« NOUS SOMMES ICI ! cries-tu de toutes tes forces. MAMAN ! PAPA ! NOUS SOMMES ICI, PRISONNIERS DU MIROIR ! »

C'est triste, mais il faut te rendre à l'évidence, personne ne t'entend...

Tu te rends au chapitre 43.

FIOUU ! Vous êtes passés sans qu'il vous voie.

Tu ouvres la porte et vous descendez les marches taillées dans de grosses poutres de bois jusqu'au plancher terreux du sous-sol. Tu as toujours détesté les sous-sols parce qu'ils sont presque toujours froids et sombres.

BRRRR ! un frisson te traverse le dos.

Afin de trouver cette ampoule suspendue au bout d'un fil électrique, tu avances à petits pas dans la noirceur, les bras tendus devant toi. Deux mètres plus loin, tu réussis à la trouver ; tu visses l'ampoule un quart de tour vers la droite et la lumière éclaire une bonne partie du sous-sol.

Dans le coin le plus éloigné, derrière la vieille fournaise qui ne sert plus, se trouve cette petite porte dont tu parlais. Tu essaies de l'ouvrir, mais elle est soit coincée, soit verrouillée. Avec un vieux tournevis rouillé, tu réussis à l'ouvrir.

Derrière, tu ne trouves qu'un amoncellement de cailloux noirs, DU CHARBON ! C'est ici que l'ancien proprio de la maison entreposait son charbon.

« Fausse alerte, les amis ! t'exclames-tu, il n'y a jamais eu de passage secret ici. »

Retournez au chapitre 4 et cherchez ailleurs...

110

« Je sais bien que cela peut paraître ridicule, essaies-tu de dire à tes amis, mais je crois que la stalactite perchée sur la voûte de la grotte a bougé...

— Que veux-tu dire par " elle a bougé ", demande Marjorie. Cette stalactite de pierre ne peut pas se déplacer d'elle-même.

— Je ne sais pas si t'as remarqué, lui signales-tu, mais elle a la forme d'une grosse luette.

— UNE LUETTE ! répète-t-elle, toute surprise.

— Il y a d'autres choses qui m'agacent, reprends-tu ; les parois de la grotte sont gluantes et le sol est mou et collant, comme une langue. Il y a aussi ces deux rangées de gros trucs blancs serrés l'un sur l'autre. Ça ne te dit rien tout cela ? lui dis-tu en montrant du doigt. Ce décor horrible ne peut signifier qu'une chose...

— NOUS SOMMES DANS UNE BOUCHE GIGAN-TESQUE ! » s'écrie Jean-Christophe...

Tandis que vous cherchez une façon de vous sortir de cette gueule géante, la grosse langue vous pousse et vous fait trébucher tous les trois. Très vite, vous tombez tête première dans l'œsophage. Vous descendez rapidement jusqu'à un gros organe à demi rempli de sucs gastriques... L'ESTOMAC !

Dans le liquide verdâtre jusqu'aux genoux, vous vous rendez au chapitre 99.

111

Pendant que Marjorie et Jean-Christophe poussent ton lit devant la porte de ton placard, tu empoignes le téléphone et tu appelles les policiers qui, devant le sérieux de l'appel, arrivent en trombe.

« C'est ici, monsieur l'agent, expliques-tu au policier. Dans mon propre placard. Une bête horrible, je vous dis, elle a bavé sur moi...

— D'accord ! fait l'agent. Vaudrait mieux que vous vous retiriez tous les trois ainsi que tes parents, nous allons prendre la situation en main. »

L'agent lance un appel sur son talkie-walkie, et l'escouade spéciale vient en renfort pour ce qui s'annonce une opération majeure. Une douzaine d'agents, pistolets braqués vers le placard, s'apprêtent à intervenir. Tu attends avec tout le monde au rez-de-chaussée. Finalement, au bout de quelques minutes, le sergent descend les escaliers avec ton gilet de laine en main.

« Voilà la bête, te dit l'agent en se léchant le bout des doigts. SLOURP ! SLOURP ! Une veste dans laquelle nous avons trouvé une tablette de chocolat au caramel complètement fondue. SLOURP ! SLOURP ! C'est presque un crime de gaspiller, SLOURP ! du si bon chocolat... »

FIN

112

« ZUT ! ET DOUBLE ZUT ! t'exclames-tu. Elle est verrouillée...

— Donne-moi un cintre, et je vais te l'ouvrir en moins de deux, te dit Marjorie.

— Ah sensass ! Merveilleux ! fais-tu sur un ton sarcastique. Sauf qu'il y a un petit problème, les cintres se trouvent derrière cette porte...

— OUPS ! fait-elle en posant la main sur sa bouche.

— Tu parles d'une affaire, t'exclames-tu, découragé. Nous sommes stoppés net, juste au début de l'aventure...

— C'est une vieille serrure, remarque Jean-Christophe. Un simple trombone fera l'affaire, te dit-il. Je suis presque sûr de pouvoir déverrouiller la porte... »

Tu attrapes le gobelet noir sur ton pupitre et tu le présentes à Jean-Christophe. Il plonge tout de suite les doigts à l'intérieur pour en ressortir une chaînette de trombones entremêlés les uns aux autres.

Comme s'il s'agissait du tour des anneaux d'un magicien, il réussit à en décrocher un. Il se met adroitement à plier le trombone jusqu'à ce qu'il réussisse à imiter parfaitement une clé.

Un demi-tour à droite, un quart de tour à gauche et comme il l'avait dit, CHLIC ! La serrure se débarre...

Ouvre la porte au chapitre 13.

113

Au bout de plusieurs longues minutes d'angoisse, c'est le silence total.

« Je crois qu'ils sont partis ! » dit Marjorie. Enfin, c'est ce qu'elle souhaite de tout son cœur.

Sans faire le moindre bruit Jean-Christophe, se penche vers le trou de la serrure pour s'en assurer.

« PLUS RIEN ! s'exclame-t-il toujours l'œil collé à la serrure. Je ne les vois nulle part. Mais j'aime mieux t'avertir, c'est le fouillis le plus complet de l'autre côté.

Tu ouvres la porte et tu sors la tête juste assez pour voir.

Les deux bras te tombent lorsque tu aperçois le désordre que ces créatures ont mis ta chambre. Tes livres d'école sont éparpillés partout, ton pupitre a été renversé, et il y a même des bandes de papier peint qui pendent sur les murs.

Tu te demandes bien comment il se fait que tes parents n'aient rien entendu de tout cela.

Vous vous mettez à trois pour remettre de l'ordre avant de repartir pour le chapitre 4 afin de prendre une autre voie.

« VITE, VITE ! hurle la revenante. Il ne vous reste que très peu de temps. Le miroir va bientôt se refermer pour toujours, et vous y serez emprisonnés, comme moi, pour l'éternité...

— Marjorie, tu te places ici, devant ton frère qui est le deuxième, expliques-tu à tes amis. Et je me placerai moi derrière vous.

— Tu es sûr qu'il s'agit du bon ordre ? te questionne Marjorie pas trop confiante. Et si tu étais dans l'erreur ?

— FONCE, JE TE DIS ! lui cries-tu. FONCE ! Fais-moi confiance. »

À la file indienne, vous franchissez en toute hâte le seuil du miroir.

Heureux tous les trois d'être de retour dans ta chambre, vous vous permettez quelques secondes de répit avant de repartir vers le chapitre 4 afin de choisir une autre voie.

115

Jean-Christophe et Marjorie s'accrochent à la statue et grimpent jusqu'à toi. Tu cherches nerveusement une sortie. Tu remarques, entre les nuages de fumée qui s'accumulent au plafond... UNE TRAPPE ! Tu pousses de toutes tes forces pour l'ouvrir et vous parvenez à vous hisser ainsi hors du temple ; vous vous retrouvez à l'intérieur de votre cabane à jardin.

Au moment où tu t'apprêtes à fermer pour de bon l'ouverture, une goule y apparaît et te prend la jambe. Tu rabats la porte sur elle plusieurs fois avant qu'elle ne lâche prise et retombe sur la tête de la statue de Drakoul, qui se brise et s'écroule sous son poids dans un vacarme infernal...

BBBBBRRRRRRRROOOOOUUUUM !

Vous vous regardez tous les trois sans parler. Tu tapes dans chacune des mains de tes amis, et sans dire un mot, tu retournes te coucher dans ta chambre. Oui, car ce soir, tu vas enfin pouvoir dormir sur tes deux oreilles.

Mais à peine as-tu fermé les yeux qu'un léger craquement survient... TU TE RETOURNES SANS HÉSITER !

Sur le seuil de ta porte apparaît... TON PÈRE !

« Je tiens absolument à me faire pardonner de ne pas t'avoir cru plus tôt, s'excuse-t-il d'une toute petite voix. Je viens de voir un reportage à la télé qui confirme ce que tu disais sur ces choses qui hantent certaines vieilles demeures. On raconte qu'il s'agirait en fait de goules, des espèces de femmes vampires ; selon le reportage... ELLES EXISTENT VRAIMENT !

— Elles existaient, papa, lui précises-tu en t'enroulant dans tes couvertures. ELLES EXISTAIENT !

Félicitations !
Tu as réussi à terminer...
La chose dans ma chambre

No 9 LA CHOSE DANS MA CHAMBRE

Maintenant tu ne ris plus ! Non, car dans cette histoire tu es pris à partager ta chambre avec QUELQUE CHOSE de bien pire que ton petit frère...

UN LIVRE PALPITANT QUI SE JOUE À LA FAÇON D'UN JEU VIDÉO...

Oui, ce livre n'est pas qu'un simple livre... C'EST TON AVENTURE ! Et dans ton aventure, c'est toi qui décides du déroulement de l'histoire. ATTENTION ! Ce livre contient aussi un jeu original qui pourrait transformer ton histoire en vrai cauchemar... LE JEU DES PAGES DU DESTIN !

Il y a 23 façons de finir cette aventure, mais seulement une finale te permet de vraiment terminer... *La chose dans ma chambre.*

LIRA BIEN QUI LIRA LE DERNIER...

Boomerang
Éditeur jeunesse

www.boomerangjeunesse.com
info@boomerangjeunesse.com

C'EST ARRIVÉ...
DEMAIN !

C'EST ARRIVÉ... DEMAIN !

**Texte et illustrations
de
Richard Petit**

TOI !

Tu fais maintenant partie de la bande des
TÉMÉRAIRES DE L'HORREUR.

OUI ! Et c'est toi qui as le rôle principal dans ce livre où tu auras bien plus à faire que de tout simplement... LIRE. En effet, tu devras déterminer toi-même le dénouement de l'histoire en choisissant les numéros des chapitres suggérés afin, peut-être, d'éviter de basculer dans des pièges terribles ou de rencontrer des monstres horrifiants.

Aussi, au cours de ton aventure, lorsque tu feras face à certains dangers, tu auras à jouer au jeu des **PAGES DU DESTIN...** Par exemple, si dans ton aventure tu es poursuivi par une espèce de monstre dangereux et qu'il t'est demandé de TOURNER LES PAGES DU DESTIN afin de savoir si ce monstre va t'attraper, la première chose que tu dois tout de suite faire, c'est placer ton doigt tout tremblotant ou un signet à la page où tu es rendu pour ne pas perdre ta page, car tu auras à y revenir. Ensuite, SANS REGARDER, tu fais glisser ton pouce sur le côté de ton Passepeur en faisant tourner les feuilles rapidement pour finalement t'arrêter AU HASARD sur l'une d'elles.

Maintenant, regarde au bas de la page de droite. Il y a trois pictogrammes. Pour savoir si le monstre t'a attrapé, il n'y en a que deux qui te concernent, celui de l'espadrille et celui de la main.

Pour le moment, tu ne t'occupes pas des autres. Ils te serviront dans d'autres situations. Je t'explique tout un peu plus loin.

Comme tu as peut-être remarqué, sur une page, il y a une espadrille, et sur la suivante, il y a une main et ainsi de suite, jusqu'à la fin du livre. Si, par chance, en tournant les pages du destin, tu t'arrêtes au hasard sur le pictogramme de l'espadrille, eh bien bravo ! tu as réussi à t'enfuir. Là, retourne au chapitre où tu étais rendu. Il t'indiquera le numéro de l'autre chapitre où tu dois aller pour fuir le monstre. Si tu es le moindrement malchanceux et que tu t'arrêtes sur le pictogramme de la main, eh bien, le monstre t'a attrapé. Là encore, tu reviens au chapitre où tu étais, mais tu auras par contre à te rendre au chapitre indiqué où tu tomberas entre les griffes du monstre.

Lorsqu'on te demandera de TOURNER LES PAGES DU DESTIN, tu n'utiliseras, selon le cas, que les DEUX pictogrammes qui concernent l'événement. Voici les autres pictogrammes et leur signification...

Pour déterminer si une porte est verrouillée ou non :

 Si tu tombes sur ce pictogramme-ci, cela signifie qu'elle est verrouillée ;

 si tu t'arrêtes sur celui-ci, cela signifie qu'elle est déverrouillée.

Pour savoir dans quelle partie du temps vous allez être projetés :

 Ce pictogramme signifie dans le passé ;

 celui-ci veut dire vers le futur.

Dans cette nouvelle aventure qui vous conduira du temps des dinosaures jusqu'à l'ère des androïdes, un nouvel instrument vous sera indispensable...

VOTRE YO-YO D'AVENTURIER !

Tu devras maîtriser parfaitement son maniement si tu veux espérer terminer ce Passepeur... UNE DE CES NUITS !

Ce yo-yo est très spécial. Son fil est en acier, et il peut, comme un lasso, te servir à éliminer des ennemis, à attraper des objets hors de portée ou à remplacer une corde et t'aider à traverser des obstacles. Pour atteindre ce que tu vises avec ton yo-yo, tu dois faire preuve d'une grande adresse au jeu des Pages du destin. Comment ? C'est simple, regarde dans le bas des pages de gauche de ton livre : il y a une statue. Cette statue représente ce que tu essaies d'attraper avec ton yo-yo. Tout près, il y a ton super yo-yo. Plus tu t'approches du centre du livre et plus ton yo-yo se rapproche de la statue.

Lorsque, dans ton aventure, il t'est demandé de tourner les Pages du destin et de bien viser avec ton yo-yo une cible quelconque, il te suffit de tourner rapidement les pages de ton Passepeur et de viser le centre du livre en l'ouvrant légèrement. Lorsque tu crois avoir atteint l'une des cinq pages centrales, ouvre-le complètement. Si tu as réussi à viser l'une des pages portant cette image :

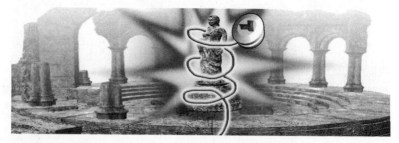

Eh bien bravo ! tu as visé juste et tu as atteint ce que tu visais avec ton yo-yo. Tu n'as plus qu'à suivre les indications au chapitre où tu étais, que tu réussisses ou non...

Ta terrifiante aventure débute au chapitre 1. Et n'oublie pas : une seule fin te permet de terminer... *C'est arrivé... DEMAIN !*

1

« Tu es bouché ou quoi ! te chuchote Marjorie en surveillant le brocanteur du coin de l'œil. Il t'a dit qu'il ne fallait pas toucher à cette montre...

— PFOU ! souffles-tu dans sa direction. Tu y crois, toi, à son histoire de voyage dans le temps ? Il a inventé ça juste pour qu'une personne naïve, comme toi, lui achète cette vieille babiole à prix d'or.

— Je ne suis pas naïve, se choque-t-elle. Et je n'ai pas du tout l'intention d'acheter cette cochonnerie, j'ai juste peur que ce soit vrai, c'est tout.

— Eh bien ma chère, je vais te prouver sur-le-champ que tu t'énerves pour rien », lui dis-tu en remontant la montre.

CRIC ! CRIC ! CRIC ! fait le remontoir lorsque tu tournes trois fois la couronne de la montre.

Autour de vous, tout se met subitement à tourner.

« OH NON ! crie Jean-Christophe. Dites-moi que ce n'est pas vrai... »

Tes pieds ne touchent plus le plancher, et tu es transporté avec tes amis au chapitre 42, au carrefour des SPIRALES DU TEMPS...

2

Une interminable spirale vous transporte au milieu d'une bande de gladiateurs, dans un grand amphithéâtre à ciel ouvert.

« C'est le Colisée de Rome, reconnais-tu. Je crois que nous sommes en 80 après Jésus-Christ parce que j'aperçois l'empereur Titus assis dans la loge royale, là-bas », montres-tu à tes amis.

Il s'agit bien de l'empereur Titus, le vil amateur de combats sanglants. Il lève le bras, et les lourds grillages sont soulevés. Des lions affamés arrivent dans l'arène, et la foule hurle.

OOOUUUAAAH !

« QU'EST-CE QU'ON FAIT ? demande Marjorie. QU'EST-CE QU'ON FAIT ?

— ON NE FAIT RIEN ! répète Jean-Christophe. ON NE BOUGE PAS ! Il ne faut surtout pas changer le cours de l'histoire.

— T'es complètement fou ! dis-tu à ton ami. Si on reste ici, je peux te dire comment va se terminer notre histoire... DANS L'ESTOMAC DE CES CARNIVORES ! »

Tu attrapes Jean-Christophe par le bras et tu le traînes jusqu'au chapitre 55.

3

Les rails tournent vers la droite et forcent le train à retomber sur ses roues. **BROOOUM !**

Jean-Christophe et Marjorie te hissent sur le toit, où tu seras en sécurité. Derrière vous, bonne nouvelle : la bande de Jérémy Jackson n'est plus en vue. Vous sautez d'un wagon à l'autre jusqu'à la locomotive pour annoncer aux conducteurs qu'il n'est vraiment plus nécessaire de rouler si vite.

Dans la cabine de conduite, vous découvrez que les conducteurs ont sauté hors du train et ont lâchement abandonné à leur triste sort tous les passagers.

« Nous ne pouvons pas ralentir le train, t'explique Jean-Christophe. Lorsque le charbon se sera consumé dans la chaudière, il ralentira de lui-même.

— Et le frein, lui ? te demande Marjorie. Il ne sert à rien ?

— Un frein, c'est fait pour freiner, pas pour ralentir, lui explique son frère.

— On fait quoi alors ? » le questionne-t-elle encore...

Vous allez au chapitre 95.

Tu observes attentivement chacune des SPIRALES DU TEMPS. Elles semblent tout aussi inhospitalières les unes que les autres.

Rends-toi au chapitre inscrit sur celle que tu auras choisie...

5

Vous recommencez encore en essayant de tourner le remontoir seulement deux fois. Mais le résultat va de mal en pis, car maintenant, il neige, et à la place des maisons, il y a sur la rue Bellemort... DES IGLOOS !

Vous essayez une autre combinaison, puis une autre, jusqu'à ce que tout vous paraisse être revenu à la normale.

Jean-Christophe se penche du haut de la tour du clocher pour s'en assurer. Il examine attentivement chaque recoin de la ville. Dans la rue, les gens marchent sur leurs deux jambes ; c'est un bon début. Sur la rue Pasdebonsang, tous les commerces semblent être à leur place. Le poste de pompiers est là, lui aussi, ainsi que le supermarché. Les spirales du temps semblent tournées dans le même sens maintenant. Jean-Christophe note cependant un petit détail, une petite chose qui n'est pas redevenue comme avant. C'est qu'à la place de l'école, il y a maintenant un immense parc d'attractions rempli de manèges illuminés et d'arcades...

« EXCELLENT ! te crie-t-il, satisfait. NE TOUCHE PLUS À RIEN... »

FIN

6

Une spirale de fumée bleue qui tourne apparaît et vous absorbe comme un aspirateur. D'horribles petits picotements parcourent tout ton corps. Lorsque tout s'arrête, vous vous métamorphosez devant un homme vraiment branché à son ordinateur.

Pris de dégoût, vous vous rendez au chapitre 75.

7

Ton yo-yo d'aventurier manque carrément la poutre et tombe dans la fosse. Tu voudrais bien le remonter pour faire une deuxième tentative, mais une multitude de petits scorpions ont entrepris de grimper au fil avec la ferme intention de se rendre... À TON DOIGT !

« VITE ! te crie Marjorie. Débarrasse-toi vite de ton yo-yo... »

Tu essaies fébrilement d'enlever le fil, mais le nœud coulant est comme soudé. Marjorie grimace à la vue de ces bestioles hyper moches sur le point d'atteindre ta main.

Derrière vous, la maman scorpion entre dans une colère terrible. Jean-Christophe essaie de la retenir, mais elle fonce sur vous comme un taureau furieux. Ses énormes pinces vous poussent tous les trois dans la fosse.

Vous chutez **BLAAAM !** *au chapitre 87.*

8

Ton yo-yo d'aventurier manque sa cible et va s'enrouler à un arbre. Les hommes préhistoriques avancent vers vous. Il n'y a rien comme un petit pique-nique en forêt, semblent-ils tous se dire en se pourléchant les babines. Tu actionnes la montre à voyager dans le temps, et vous vous retrouvez deux minutes dans le passé devant une autre Marjorie, un second Jean-Christophe et un double de toi-même qui te regarde d'une façon plutôt confuse. Vous êtes maintenant six contre les hommes préhistoriques.

Tu répètes le même geste plusieurs fois jusqu'à ce que vous vous retrouviez deux fois plus nombreux qu'eux. Vingt Marjorie, 20 Jean-Christophe et 20 toi-même... UNE ARMÉE !

Tu fais tourner ton yo-yo dans les airs au-dessus de ta tête. Les 19 doubles de toi-même t'imitent et, ensemble, vous chassez les cannibales, qui s'enfuient et disparaissent dans le creux de la forêt avec leur petit creux.

Tu remontes la montre-bracelet 19 fois jusqu'à ce que tous vos doubles soient revenus chacun dans leur temps.

Tu actionnes une dernière fois la montre pour retourner au carrefour des SPIRALES DU TEMPS, au chapitre 4...

9

Parmi ce fourbi d'ordinateurs et d'écrans, elle reste introuvable. Alors que vous cherchez une autre solution, la pièce tout entière est balayée par un faisceau laser violet qui stoppe le mouvement de ta montre-bracelet.

Tu remontes la couronne du remontoir, une fois, deux fois, 20 FOIS ! Rien à faire, elle ne fonctionne plus. La porte coulissante s'ouvre, et des bras mécaniques pourvus de pinces saisissent Jean-Christophe. Vous vous accrochez à lui, mais un autre rayon laser, bleu cette fois, vous cloue au sol.

La porte s'ouvre à nouveau quelques heures plus tard. C'est Jean-Christophe ; il a réussi à leur échapper. Vous allez pouvoir vous évader tous les trois ensemble. Enfin, c'est ce que tu crois jusqu'à ce qu'il te fasse un beau sourire et te montre sa DENTITION TRANSISTORISÉE ! De longs fils électriques pendent de son dos jusqu'à un ordinateur situé loin dans une autre pièce.

Les bras mécaniques réapparaissent, te saisissent et te traînent à ton tour...

Lorsque tu reviendras tout à l'heure de la salle d'assemblage, tu pourras enfin te vanter d'être la personne... LA PLUS BRANCHÉE !

FIN

10

Le train stoppe à la gare, et vous descendez sur le quai. Le vent souffle et soulève, dans les rues désertes de la ville, des vagues de sable qui entre dans tous les orifices de ton visage. Tu étouffes presque. **KOUF! KOUF!** Tu sais maintenant pourquoi les cow-boys portent tous des foulards. De drôles de boules d'herbe séchées par le soleil roulent dans la rue.

Au milieu de la ville, lorsque vous traversez un parc, tu es pris d'une curieuse impression...

« Ce parc, montres-tu à tes amis, ressemble étrangement à celui où nous jouons à la balle, chez nous, à Sombreville.

— T'as raison, se met à réfléchir Jean-Christophe, qui cherche à comprendre. Mais j'y pense, cette ville s'appelle Dark City... NOUS SOMMES À SOMBREVILLE ! »

Vous vous élancez vers le magasin général pour y cueillir un journal. Il y est écrit 7 mars 1885. Vous connaissez bien l'histoire de Sombreville. Vous savez bien que le premier bijoutier ne s'est établi dans la ville qu'en 1903. QU'ALLEZ-VOUS FAIRE ?

Allez au chapitre 105.

Vous vous jetez dans la spirale, qui se met aussitôt à tourner de plus en plus vite. Tu fermes les yeux parce que tu commences à être sérieusement étourdi. Enfin, tout s'arrête d'un seul coup, et tes pieds touchent le sol.

Vous vous retrouvez au milieu d'un mécanisme d'horloge géant. Vous faites très attention pour ne pas être broyés par les énormes roues dentées qui tournent autour de vous. Le tic et le tac du balancier sont assourdissants.

TIC ! TAC !

Une créature étrange court inlassablement dans une immense roue, comme un hamster dans sa cage.

Vous vous rendez au chapitre 57.

12

Ils vous encerclent en pointant leurs lances pointues vers vous. Tu examines leurs armes. Elles sont fabriquées avec une simple branche au bout de laquelle est attachée une pierre aiguisée.

« Nous sommes à l'ère des hommes préhistoriques, montres-tu à Jean-Christophe en pointant une lance. J'en suis sûr... »

Le plus grand des hommes préhistoriques s'avance vers vous. Autour de son cou, il porte un lugubre collier fait de crânes humains et d'os. Nul doute que ces hommes préhistoriques sont des cannibales à la fois bourrés de mauvaises intentions et à l'estomac... VIDE !

D'un geste rapide, tu dégaines ton yo-yo d'aventurier et tu le lances vers la grosse tête laide du grand cannibale. Vas-tu réussir à l'atteindre ? Pour le savoir...

... TOURNE LES PAGES DU DESTIN et vise bien.

Si tu as réussi à atteindre la statue avec ton yo-yo, ça veut dire que tu as aussi atteint le grand cannibale en plein sur la tronche. Rends-toi donc au chapitre 80.

Si, par contre, tu as manqué ton coup, va au chapitre 8.

« LA MONTRE SACRÉE ! clament-ils tous en portant les bras vers toi.

— OUI ! La cérémonie peut commencer, annonce le vieil homme en se dirigeant vers l'autel.

— La cérémonie ! répètes-tu, paniqué. NON ! Vous n'allez tout de même pas nous sacrifier à votre dieu ?

— Vous avez ouvert la porte des spirales du temps en remontant la montre sacrée, vous explique-t-il. C'est à vous de tout remettre en ordre. Dirigez-vous vers le futur, c'est là que se trouve... VOTRE PASSÉ !

— Le passé dans le futur ? lui demande Jean-Christophe. Qu'est-ce que ça veut dire ce baratin ? Ça n'a aucun sens, ce que vous dites...

— Lorsque vous avez activé cette montre à voyager dans le temps, vous explique le vieil homme, l'ordre des différentes époques de l'histoire de la terre s'est mélangé. Résultat : une guerre à finir fait rage dans le futur. L'issue de cette guerre décidera du sort de l'humanité. ALLEZ COMBATTRE DANS LE FUTUR ! »

Vous êtes reconduits vers l'autel au chapitre 31.

Vous dévalez avec hâte le flanc de la montagne jusqu'à la ville détruite. En fouillant dans les décombres d'un édifice, Marjorie parvient à trouver un vieux journal.

« CE JOURNAL ! vous crie-t-elle en apercevant la date. Il est daté d'aujourd'hui. Il est arrivé une grande catastrophe le jour même où nous sommes partis dans le temps...

— Tu crois que les spirales du temps se sont entremêlées à cause de nous ? demandes-tu à Jean-Christophe.

— C'est possible, soupçonne-t-il. Voyager dans le temps comporte d'énormes risques. Si jamais on réussit à revenir à notre époque, je ne suis pas certain de retrouver Sombreville comme elle était lorsque nous sommes partis. »

Des paroles lointaines parviennent soudainement à vos oreilles. Vous vous dirigez vite au coin de la rue vers une église d'où semblent provenir... DES CHANTS MÉLODIEUX !

Au chapitre 96.

16

La porte coulissante glisse et s'ouvre. Vous poussez le lourd coffre-fort hors du wagon. La bande de Jérémy Jackson se lance à la poursuite du coffre, qui dégringole une colline. LE POISSON A MORDU !

« BIEN JOUÉ ! vous dit Jean-Christophe. Maintenant, il ne faut pas rester une seconde de plus ici. Le Far West est beaucoup trop dangereux pour des pieds-tendres comme nous. Tourne la couronne de la montre : il faut vite quitter cette époque... »

Tu portes ton index et ton pouce à la montre et remarques que la petite couronne du remontoir a disparu. MALHEUR ! Elle s'est probablement détachée de la montre lorsque tu manipulais le lourd coffre-fort.

À quatre pattes, vous cherchez la minuscule pièce du mécanisme. Marjorie finit par la retrouver entre deux planches. Vous essayez de la remettre en place, mais rien à faire.

« Il faut trouver un bijoutier, dit Jean-Christophe. Nous n'avons pas le choix. »

Le train s'arrête quelques kilomètres plus loin à la gare de Dark City.

Descendez du train par le chapitre 10.

17

Le lendemain, la une du journal O.K. Koral fait état d'une évasion spectaculaire de la bande de Jackson. Le shérif met aux enchères votre yo-yo d'aventurier ainsi que la montre-bracelet à voyager dans le temps pour acquitter les coûts d'une vaste chasse à l'homme. Vous fuyez vers le sud, au Mexique, car des centaines de cow-boys sont sur le coup.

Avec la bande de Jérémy Jackson, vous attendez que les choses se calment. Vous remontez quelques semaines plus tard vers le nord pour piller systématiquement tous les trains et les bijouteries à la recherche de la montre-bracelet.

Crois-tu que tous ces méfaits vont finir un jour par ramener cette montre-bracelet autour de ton poignet ? NON ! Tout ce qui risque d'arriver, c'est une corde autour du... COU !

FIN

18

Le garde donne aussitôt l'alerte en soufflant dans une corne de buffle.

GHOUUUUUUUU !

Du poste de surveillance, six soldats armés d'arcs et d'épées se lancent à l'assaut de la pyramide et à votre poursuite. Tu attrapes une torche et, devant tes amis, tu t'engouffres dans l'entrée de la pyramide. Tu cours dans le tunnel qui descend en pente douce et tu t'engages ensuite dans un passage étroit sans savoir où il se termine. Les pas bruyants des soldats qui vous poursuivent résonnent sur les parois du tunnel. Vous arrivez dans la grande salle mortuaire dans laquelle se trouve le sarcophage du pharaon. La seule sortie de cette salle est l'endroit par où vous êtes entrés. ZUT !

« C'EST UN CUL-DE-SAC ÉGYPTIEN ! » hurle Marjorie.

Derrière vous, les soldats surgissent. Vont-ils réussir à vous attraper ? Pour le savoir...

*... **TOURNE LES PAGES DU DESTIN !***

S'ils vous attrapent, allez au chapitre 39.
Si, par une chance incroyable, vous réussissez à vous enfuir, rendez-vous au chapitre 59.

19

« BANDIT, VOUS DITES ! répète-t-il en souriant, pas insulté du tout. Je serai dans les premières loges lorsqu'on vous passera la corde au cou, à l'aube », rajoute-t-il avant de disparaître avec sa bande.

Les ronflements de l'assistant du shérif brisent le silence à l'intérieur de la prison. Il roupille, les pieds sur le pupitre, assis en équilibre précaire sur les pattes arrière de sa chaise.

Arrivent l'aube et, comme prévu, le shérif. Il ouvre la porte de la cellule et se confond, à votre grand étonnement... EN EXCUSES !

« Vous êtes libres, vous annonce-t-il. Nous avons reçu un télégramme nous avisant que la bande de Jérémy Jackson a été capturée par le régiment de cavalerie du général George Croustad.

— Merci, shérif, lui dis-tu, sans rancune. Pourrions-nous ravoir nos trucs, il faut que nous partions au plus vite. »

Le shérif acquiesce tout de suite. Il réveille son assistant, qui sursaute et tombe à la renverse sur le plancher.

BANG ! CRIIIING !

Allez au chapitre 64.

20

L'oiseau est touché. Il fait un vol plané et plonge dans l'abreuvoir des chevaux, qui hennissent. **PLOUCH** !

Devant toi, le cow-boy cesse vite de sourire lorsqu'il se rend compte... QU'IL N'A PLUS UNE SEULE BALLE DANS SON COLT ! Il se met à tripoter son arme puis la laisse tomber sur le sable. Tu enclenches le chien de ton revolver. Il lève les bras en l'air en signe de soumission...

Des baraques sortent de partout les gens de la ville. Le shérif procède à l'arrestation du cow-boy et de ses acolytes, qui se révèlent être Jérémy Jackson et sa bande, les criminels les plus recherchés de l'État.

On vous présente le médecin de la ville, qui peut amputer une jambe, arracher une dent, extraire une balle... ET RÉPARER LES MONTRES BRISÉES ! Grâce à lui, vous réussissez à retourner à votre époque.

Depuis, chaque jour, avant d'aller à l'école, tu fais un petit détour pour contempler au milieu du petit parc... LA STATUE DE TOI QUE LES GENS DE DARK CITY ONT ÉRIGÉE !

FIN

21

Vous vous jetez dans la spirale, qui se met aussitôt à tourner plus vite. Tu te sens tout drôle. Tu fermes les yeux parce que tu commences à être sérieusement étourdi. Enfin, tout s'arrête d'un seul coup, et vous arrivez devant deux grandes et solides portes toutes cloutées.

« Nous avons été envoyés à l'époque des châteaux médiévaux ? en conclut à première vue Marjorie.

— Non, pas du tout ! lui répond son frère Jean-Christophe. Regarde sous tes pieds. »

Marjorie baisse la tête et sursaute lorsqu'elle constate qu'il n'y a pas de plancher, mais seulement un ciel sombre constellé d'étoiles. Elle s'accroche à ton cou...

« AAAAH ! crie-t-elle. Nous allons tomber !

— Cette antichambre est un relais temporel, vous explique Jean-Christophe. Cette époque du temps est constituée de deux sous-périodes secondaires. Il faut encore choisir. »

Allez au chapitre 93.

22

RIEN À FAIRE ! Ton yo-yo reste introuvable...

Tu remontes la couronne de ta montre en espérant que tout sera normal lorsque tu arriveras dans le futur. Vous croisez tous les trois vos doigts et vous entrez dans une spirale, puis dans une autre. Les spirales du temps se succèdent, et vous n'êtes pas encore revenus à votre époque.

Quatorze spirales plus tard, vous apparaissez enfin dans la boutique du brocanteur. Vous déposez la montre sur le comptoir et vous filez à l'extérieur. Autour de vous, rien ne semble avoir changé. Les gens parlent toujours votre langue, et les voitures circulent du bon côté de la route. Peut-être que ton yo-yo perdu dans le temps n'a finalement rien changé...

Jean-Christophe n'est pas convaincu. Il veut en avoir le cœur net. Il insiste pour que vous alliez tous les trois à la bibliothèque municipale pour vérifier dans les livres d'histoire.

Pour qu'il cesse de se tourmenter, vous vous rendez au vieil édifice situé sur la rue Litdemort, au chapitre 69.

À quelques kilomètres dans la vallée, un arbre est tombé sur les rails. Marjorie l'aperçoit à la dernière minute et applique les freins.

SCRIIIIIIIIIIIIIIIII !

Le train s'immobilise juste à temps dans un nuage de vapeur. Vous descendez de la locomotive, et des passagers curieux descendent en même temps des wagons. Tu remarques, en essayant de bouger l'arbre avec tes amis, qu'il n'est pas tombé tout seul et que quelqu'un... L'A DÉLIBÉRÉMENT SCIÉ !

C'EST UNE EMBUSCADE ! Vous faites demi-tour et vous détalez à toutes jambes vers la locomotive en criant aux passagers de reprendre leurs places. Une flèche se plante dans la locomotive, **SIOOOUU !** puis une autre, **SIIOOOUUU !** Des centaines de flèches sifflent de partout.

« TOUT LE MONDE À L'ABRI DANS LE TRAIN ! hurle Jean-Christophe, en aidant les passagers à remonter à bord. NOUS POUSSERONS LE TRONC AVEC LA LOCOMOTIVE... »

Tu libères le frein, et le train se met à avancer jusqu'au chapitre 48.

24

L'estomac bien rempli, les rameurs s'endorment l'un après l'autre, et tout devient silencieux. Seul le joli clapotis des petites vagues qui viennent se briser sur la coque de la barque royale sont audibles. Vous essayez tous les trois de faire glisser vos mains hors des fers que vous avez aux poignets, mais rien à faire, pour vous libérer, il vous faut absolument la clé...

Le garde-chiourme roupille pas très loin de toi. Tu aperçois, accroché à la ceinture de sa jupe... SON TROUSSEAU DE CLÉS ! Tu t'étends de tout ton long et tu étires le bras. Rien à faire, il est hors de portée. Marjorie baisse la tête en signe de découragement. Tu plonges ta main dans ta poche pour en ressortir ton yo-yo d'aventurier. Voilà ta chance de prouver à tes amis que ta petite invention fonctionne. Si tu réussis bien sûr à atteindre le trousseau. Pour le savoir...

... TOURNE LES PAGES DU DESTIN et vise bien.

Si tu attrapes le trousseau avec ton yo-yo, rends-toi au chapitre 32.
Par contre, si tu l'as raté, va au chapitre 62.

25

Vous avez réussi à vous sortir des griffes de ces cannibales, mais la partie est loin d'être terminée, car la faune de cette forêt préhistorique paraît plutôt menaçante. Vous semblez maintenant être suivis par une sorte de bête qui ne cesse de grogner.

GRRRRRRR ! FRRRR !

Vous arrivez devant une large crevasse. Un arbre tombé peut cependant vous permettre de la traverser.

Essayez de la traverser au chapitre 76.

26

« Sur la plage du Nil, parmi les milliers d'esclaves, j'ai remarqué que vous portiez des vêtements modernes, vous explique-t-elle. Comme les miens. J'ai su aussitôt que vous arriviez du futur. Comme moi, vous êtes de Sombreville.

— C'est donc toi qui nous as fait donner ce repas tantôt, lorsque nous étions dans la cale, en déduit Marjorie.

— Oui, parce que vous n'auriez pas survécu à cette infecte bouillie de poisson, lui répond-elle. Je veux retourner chez moi, à Sombreville, se lamente-t-elle ensuite dans les bras de Jean-Christophe.

— Et comment va-t-on faire pour revenir dans le futur ? demande Marjorie. Nous attendons que le temps passe ? Cinq mille ans, c'est très long...

— Pour revenir à notre époque, explique Karine avec chagrin, il faut malheureusement avoir cette foutue montre-bracelet à voyager dans le temps. Comme vous voyez, nous sommes fichus... »

Allez au chapitre 66.

« Cette nuit, ils ont tenté de s'évader, explique le garde-chiourme à l'officier. Ils doivent être punis et recevoir la sentence prescrite dans les textes de loi.

— Et que disent ces fameux textes ? demande l'officier, sur un ton soumis.

— AUX RAMES À VIE ! sourit méchamment le garde-chiourme.

— Eh bien ! cher serviteur de la marine royale, les lois sont là pour être respectées, tranche l'officier. Ces trois bagnards seront à votre service pour le restant de leur misérable vie.

— À VIE ! répète Marjorie. C'est trop long ça... TROP LONG ! »

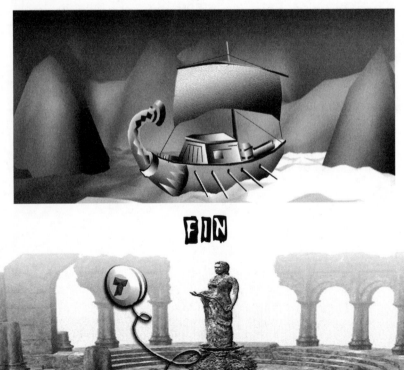

FIN

28

LA BALLE POURSUIT SA TRAJECTOIRE !

Dans un geste de désespoir, tu lèves ton bras pour te protéger. La balle heurte ton poignet, et tout se met à tourner autour de toi. Tu te dis que cette fois-ci, c'est vrai... C'EST LA MORT !

Ton poignet te fait horriblement mal. Tu le regardes et constates que tu ne saignes pas et que la balle du colt s'est miraculeusement plantée dans ta montre-bracelet.

Toujours en vie, tu te demandes pourquoi alors tu te sens si étourdi. Parce que, vois-tu, la montre s'est activée et va te transporter une dernière fois dans l'une des spirales du temps, à l'an 4085, à l'époque où des robots très cruels, des « Finitators » créés par l'homme, règnent sur terre en maîtres.

Seul rescapé de ton espèce, tu seras traité comme un esclave. Ils t'en feront baver.

Pas facile d'oublier que ton triste destin, tu le dois au fait que tu as remonté une stupide montre à voyager dans le temps. Surtout quand tu songes que tu vas passer le reste de ta vie à.. REMONTER DES PETITS ROBOTS !

FIN

29

De l'autre côté de la crevasse, vous êtes attaqués par des petits dinosaures affamés qui se jettent sur vous en meute. Tu actives la montre-bracelet, mais tu commets une belle bourde en la remontant quatre tours au lieu de trois. Une immense spirale vous aspire et vous jette au beau milieu de la rue Bellemort à Sombreville.

Autour de vous, les voitures roulent à reculons et les gens marchent à quatre pattes sur le trottoir. En plus, le soleil est bleu et le ciel est brun...

« TU AS BOUSILLÉ LES SPIRALES DU TEMPS ! te crie Jean-Christophe. IL FAUT CORRIGER LA SITUATION ! »

Tu remontes la montre trois fois cette fois-ci, et vous retournez dans le passé. Tu la remontes encore trois fois, et vous revenez dans le présent. Ça ne s'arrange pas parce que des voitures volent dans le ciel et des chiens discutent en sirotant un café sur une terrasse.

Avant de réactiver à nouveau la montre, vous montez tout en haut du clocher de l'église au chapitre 5, question d'avoir une meilleure vue d'ensemble de la ville et de mieux surveiller les changements qui pourraient survenir.

Le train amorce sa descente vers la vallée. Tu veux profiter de cette dernière chance de t'assurer que la voie est toujours libre jusqu'à la prochaine ville. L'EST-ELLE ?

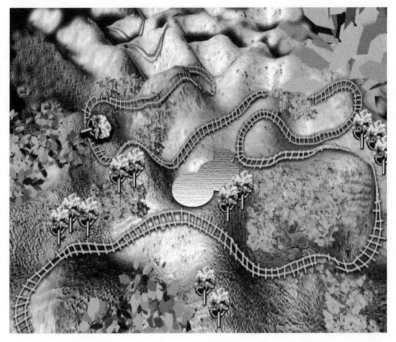

Observe à nouveau cette image. Elle est différente de l'image précédente. Si tu trouves en quoi elle diffère, rends-toi au chapitre 102. Par contre, si tu ne remarques rien, va au chapitre 23.

31

Tu actives la montre, et vous vous trouvez projetés 5000 ans dans le futur. Autour de vous, c'est la désolation. La terre, enfin ce qui en reste, n'est qu'un désert de débris et de cendres. C'EST LA GUERRE ! comme disait le vieil homme...

Des rugissements terrifiants et des salves de « pisto-lasers » résonnent au loin. Le ciel est assombri par une fumée permanente qui y flotte. Les dinosaures du passé et les robots du futur vous disputent la domination de la planète, à vous, les humains du présent.

Le destin du passé se situe dans l'avenir, comme disait le vieil homme.

« Je comprends maintenant, vous dit Jean-Christophe. L'histoire de toute l'humanité va se décider aujourd'hui. Comme les aiguilles d'une horloge qui partent du chiffre douze et qui y reviennent douze heures plus tard ! Le temps tourne en rond lui aussi. Il ne faut pas que les dinosaures gagnent cette guerre, sinon nous retournerons des millions d'années dans le passé. Pas plus qu'il ne faut que les robots gagnent, parce que là, nous serions tous projetés dans le futur. Si on veut que tout redevienne normal... NOUS DEVONS GAGNER LA GUERRE ! »

Vous allez au chapitre 58.

32

Le yo-yo s'enroule autour du grand anneau.

« Génial ! » murmure Jean-Christophe.

Tu donnes un petit coup sur le fil, et le trousseau de clés se décroche de la ceinture du garde-chiourme. Tu tires lentement, et le trousseau glisse sur le plancher, sans faire le moindre bruit, jusqu'à toi.

Libérés de vos fers, vous grimpez l'échelle qui conduit au pont. Avec la tête, tu soulèves la trappe pour t'assurer que la voie est libre. Il fait nuit, et personne n'est en vue.

Vous vous hissez furtivement sur le pont. Un soldat affecté au quart de nuit fait sa tournée, lampe à l'huile à la main. Il arrive dans votre direction. Vous cherchez une chaloupe à tribord, mais il n'y a aucune embarcation. Vous entrez pour vous cacher dans une cabine somptueusement décorée et arrivez face à face avec... LA PRINCESSE EN PYJAMA !

« POUAH AH AH ! se tord de rire Marjorie. Un pyjama aux motifs de Tipou, l'ourson de la télé... »

Rends-toi maintenant au chapitre 41.

33

Marjorie t'attrape par ton chandail juste à temps, mais ta torche quitte ta main et tombe dans la fosse. Elle s'écrase quelques mètres plus bas, sur le fond de la fosse, et jette sa lumière sur des centaines de bébés scorpions tout blancs qui s'agitent sous la pluie d'étincelles... C'EST LE NID DU SCORPION !

Ils attendent tous en bas, gourmands et pinces grandes ouvertes, que maman leur rapporte de quoi les nourrir. Marjorie frissonne en les voyant s'agiter. Ne perds plus de temps ! Dégaine ton yo-yo d'aventurier, attache le fil à ton index et vise la poutre. Vas-tu réussir à l'atteindre ? Pour le savoir...

... TOURNE LES PAGES DU DESTIN et vise bien.

Si tu parviens à attraper la poutre, SUPER ! Balancez-vous tous les trois de l'autre côté de la fosse, au chapitre 91.
Par contre, si tu l'as ratée, va voir ce qui vous arrive au chapitre 7.

34

Tu soulèves une pierre et tu la passes derrière toi à Jean-Christophe, qui, lui, à son tour, la passe à Marjorie, qui, elle, la dépose derrière elle. Vous faites ces gestes des dizaines de fois avant de finalement libérer la voie. La galerie débouche sur un carrefour de galeries éclairées par des puits de lumière. Par terre, dans le sable, il y a un parchemin de papyrus enroulé.

Jean-Christophe le déroule avec précaution.

« C'est un plan de la pyramide, remarque-t-il en même temps que vous. Mais tout est écrit avec des hiéroglyphes. Je n'y comprends rien...

— Ouais ! Mais c'est tout de même un plan, se réjouit Marjorie. C'est super, non ?

— Je ne vois pas ce qu'il y a de super, lui répond son frère, agacé. Tu vas me dire que t'es architecte, toi, et que tu sais lire ce genre de plan...

— Euh, non ! fait-elle d'un air complètement perdu. Mais ce n'est pas bien grave, parce que, comme tu dis toujours : l'important, c'est d'avoir un plan... »

Rends-toi au chapitre 90.

35

Contrairement à vous, la meute de gros balourds ne court pas très vite. Vous réussissez à les semer dans la forêt en courant en zigzag entre les arbres. Vous ne savez pas qui ils étaient, mais nul doute qu'ils étaient hostiles, en témoignent leur accoutrement et leurs armes.

Vous progressez avec lenteur dans cette forêt obscure en cherchant des indices sur l'époque où la spirale du temps vous a conduits. Entre deux arbres au loin, vous apercevez un objet assez gros qui contraste avec ce qui l'entoure. Vous vous approchez et découvrez qu'il s'agit du capot d'une voiture. Elle est presque complètement ensevelie sous des couches de terre.

« Des hommes préhistoriques ? Une voiture enterrée ? cherche à comprendre Jean-Christophe. C'est illogique, cette histoire, il y a quelque chose qui cloche ici. »

Un peu plus loin, un petit sentier vous mène au pied d'une montagne escarpée.

Pour avoir une vue d'ensemble des lieux, vous l'escaladez jusqu'au chapitre 94.

En effet, cette fresque indique le chemin pour aller à la fosse du dieu blanc ainsi que la voie de la sortie. À condition bien sûr que tu réussisses à déchiffrer les signes... SANS TE TROMPER !

Rends-toi au chapitre inscrit sur la fresque qui, tu crois, conduira les soldats embrouillés vers la sortie de la pyramide !

Tu presses d'autres touches, et l'ordinateur t'apprend que ce fameux bogue s'est bien manifesté. Minuscule et inoffensif, il a attendu pendant des mois, tapi dans les profondeurs des transistors de tous les ordinateurs du monde, sans que les humains se doutent de quelque chose. La nuit du 29 juin 2003, il a atteint sa maturation mathématique, et la rébellion des machines a commencé. Douze heures plus tard, le monde entier leur appartenait. Les machines ont commencé ensuite à mutiler les humains pour en faire leurs esclaves biomécaniques...

« Il faut faire quelque chose, insiste Jean-Christophe. On ne peut pas laisser ça comme c'est...

— Mais tu as dit tantôt qu'il ne fallait pas intervenir, répliques-tu. Que c'était dangereux et qu'il pourrait y avoir un tremblement du temps...

— Peu importe les conséquences de nos actes, t'explique-t-il. Ça ne peut pas être pire que ça. Nous, les humains, esclaves des machines, tu y as pensé ? »

Vous fouillez l'ordinateur à la recherche d'une façon de détruire tout le système. Le dossier « DESTRUCTION DU BOGUE » fait mention du virus ML-5. Ce virus, implanté quelques jours avant l'an 2000... AURAIT PU DÉTRUIRE LE BOGUE !

Vous vous rendez au chapitre 83 pour en savoir plus.

Vous vous jetez dans la spirale, qui se met aussitôt à tourner plus vite. Tu te sens tout drôle. Tu fermes les yeux parce que tu commences à être sérieusement étourdi. Finalement, au bout de quelques secondes, tout s'arrête d'un seul coup, et tes pieds touchent le sol. Tu ouvres les yeux, car le plancher vibre sous toi. Jean-Christophe jette un coup d'œil à un hublot et constate que vous êtes tous les trois à l'intérieur du wagon blindé d'un train fonçant à travers une plaine.

« OÙ ON VA COMME ÇA ? demande Marjorie.

— La question n'est pas où on va, mais à quelle époque sommes-nous ? » la reprends-tu.

Des coups de colts retentissent soudainement. **BANG ! BANG ! BANG !** Dehors, huit cow-boys à cheval poursuivent le train. Leur visage est masqué par un foulard. C'est la jadis célèbre bande de Jérémy Jackson. Des pilleurs de banques, de diligences et de trains sans scrupules qui ne laissent jamais un témoin de leur crime... VIVANT !

Va au chapitre 98.

39

La troupe de soldats arrive en trombe dans la salle mortuaire et vous encercle. Tu voudrais prendre un élan pour tenter de t'enfuir par le passage, mais un soldat grassouillet ruisselant de sueur se poste devant l'entrée.

Foptitep, le chef des soldats, pointe son épée à un centimètre de ton torse. Tu fermes les yeux...

« Vous allez nous suivre jusqu'à la fosse des déserteurs, grogne-t-il en essayant de retrouver son souffle. Tout esclave qui tente de s'enfuir mérite châtiment.

— QUEL CHÂTIMENT ? veut savoir Marjorie.

— Dans les profondeurs les plus sombres de la pyramide, il y a une fosse humide habitée par le dieu blanc, un hippopotame qui se nourrit de chair humaine, vous explique Foptitep. Vous serez jetés dans cette fosse tous les trois. Si l'hippopotame vous laisse repartir avec vos misérables vies, c'est que vous aurez obtenu le pardon de la reine et que vous deviendrez... DES ESCLAVES LIBRES ! »

Vous marchez longtemps, escortés par les soldats, jusqu'au chapitre 100.

40

Certains d'avoir choisi la bonne voie, vous attrapez tous les trois une torche et vous manœuvrez dans une longue série de galeries. Vous avancez plus silencieusement lorsque des bruits surviennent.

GRRRRRRRRRRR ! BOUUM !

Devant vous, la galerie ne débouche nulle part. Tu ne comprends plus rien.

« Quoi ! Une impasse ? fais-tu, ahuri. J'ai pourtant suivi ce plan à la lettre, égyptienne en plus. J'en ai la certitude... »

Marjorie baisse sa torche au niveau du sol et découvre des traces fraîches de sandales dans le sable qui vont vers le mur.

« C'ÉTAIT BIEN LA SORTIE ! se met à crier Marjorie. ILS VIENNENT DE BOUCHER L'ENTRÉE DE LA PYRAMIDE AVEC UNE GROSSE PIERRE ! Nous sommes pris pour l'éternité, et l'éternité... C'EST TRÈS LONG ! »

Même si c'est complètement idiot, vous essayez tous les trois de pousser l'immense pierre de calcaire. Elle ne bouge pas d'un millimètre. C'est normal, car elle pèse des tonnes.

Abattus, vous partez vers le chapitre 74.

41

« Oups ! pardon, Votre Altesse ! s'excuse vite Marjorie, qui a peine à retenir son fou rire. C'est sorti tout seul...

— Tu n'as pas à te faire de reproches, lui pardonne la princesse.

— Mais, Princesse Karine, demande Jean-Christophe, avec tout le respect que je vous dois, d'où tenez-vous ce pyjama ? Il n'y avait pas de pyjama aux motifs de Tipou l'ourson dans l'ancienne Égypte, et encore moins de télévision...

— Vous avez entièrement raison, explique la princesse en s'assoyant sur sa couchette couverte de coussins en satin. Ce pyjama vient du futur, comme vous... ET MOI ! poursuit-elle. Il y a de cela plusieurs mois, je partais chez mon amie Sarah. Sa mère avait organisé un *pyjama party* à l'occasion de son anniversaire. J'ai voulu lui offrir un petit cadeau. Je savais qu'elle adorait les antiquités, je suis donc allée chez...

— LE BROCANTEUR DE LA RUE PASDEBON-SANG ! » s'exclame Marjorie, tout d'un trait.

Tourne vite les pages de ton livre Passepeur jusqu'au chapitre 46.

42

Vous flottez tous les trois dans les airs devant quatre spirales de fumée qui ne cessent de tourner.

« C'est le carrefour des SPIRALES DU TEMPS, vous explique Jean-Christophe. Il faut choisir celle que nous allons emprunter avant qu'elles ne se referment si nous ne voulons pas passer l'éternité ici.

— Il faut enlever nos souliers avant d'entrer ? dit Marjorie, qui commence sérieusement à être étourdie.

— Ce n'est pas le temps de dire des niaiseries, gronde son frère.

— Dire des niaiseries ! reprend-elle, les pieds en l'air et la tête en bas. Je n'ai pourtant pas prononcé ton nom...

— ARRÊTEZ-VOUS ! cries-tu. ARRÊTEZ-VOUS ! N'oubliez pas que nous sommes tous les trois les Téméraires de l'horreur. Si nous voulons espérer nous en sortir, il faut arrêter de nous chamailler. Douze fois auparavant, nous nous sommes sortis de ce genre de situation. Nous réussirons encore une fois. Il suffit de ne pas dépenser notre énergie dans de stupides disputes... »

Allez au chapitre 4 pour choisir votre spirale du temps...

43

« Moi, je sais lire, dis-tu à Foptitep en levant la main timidement.

— TOI ! te crie-t-il en te jetant un regard incrédule.

— Oui ! lui confirmes-tu en examinant au-dessus de son épaule les images gravées. Je peux lire ces textes.

— Dans ce cas, exécute-toi sur-le-champ, esclave », t'ordonne-t-il.

Tout de suite, tu t'approches du mur.

« Mais qu'est-ce que tu fais ? te demande Marjorie, les yeux agrandis d'étonnement. Remets ton cerveau dans le bon sens.

— Tu ne vas pas lui indiquer le chemin pour se rendre à la fosse de l'hippo mangeur d'homme ? proteste aussi Jean-Christophe, d'un air ahuri.

— Du calme, les amis, leur murmures-tu. Ces hiéroglyphes indiquent le chemin de la fosse, c'est vrai, mais ils doivent certainement aussi contenir des indications pour sortir de la pyramide. Mon plan ? rajoutes-tu en leur faisant un clin d'œil. Je vais les envoyer vers la sortie au lieu de les diriger vers la fosse... »

Tu te places juste devant la fresque, au chapitre 36.

CES SCARABÉES SONT PEUT- ÊTRE LA CLÉ !

Vous examinez tous les trois le plan et remarquez qu'il y en a un ici, un autre là...

Rendez-vous au chapitre que tu auras choisi.

45

La porte est verrouillée. Alors que tu allais donner un gros coup de poing dessus, un rugissement terrible fait trembler le sol.

GRRROOOOUUUUW !

Des pas lourds, très lourds, résonnent de plus en plus fort. Peu importe ce que c'est, ça vient dans votre direction... Vous cherchez désespérément une place pour vous cacher, mais avant que vous ayez pu trouver refuge... APPARAÎT UN TYRANNOSAURE !

Il approche sa tête affreuse de toi. Tu te jettes sur le sol et tu roules sur le côté. Sa mâchoire claque dans le vide, **CLAC !** Il rugit, balance sa longue queue et abat d'un seul coup le clocher de l'église. Vous profitez du nuage de poussière pour vous débiner jusqu'à la ruelle. Le tyrannosaure cherche de tous les côtés et pousse un gémissement en s'éloignant.

Appuyé à un mur, tu te laisses choir sur le sol.

« Jamais auparavant je n'ai vu la mort de si près », bredouilles-tu à tes amis, aussi effrayés et essoufflés que toi.

Un petit craquement survient de derrière le mur ! **CRAC !** Qu'est-ce que c'est ?

Tu penches la tête vers le chapitre 14 pour le savoir...

« OUI ! et en fouillant dans une vitrine, poursuit-elle, je suis tombée sur...

— UNE VIEILLE MONTRE-BRACELET ! l'interrompt encore une fois Marjorie.

— Non, mais tu n'as pas fini de lui couper la parole ? tonne son frère Jean-Christophe. Laisse-la terminer.

— Oui, une vieille montre-bracelet, continue-t-elle. Je l'ai remontée pour voir si elle fonctionnait encore et, à ce moment précis, je me suis retrouvée devant des spirales et ensuite devant un roi et une reine dans un palais de l'Égypte ancienne. Ils m'ont adoptée et élevée au rang de princesse. Ils croient que je suis un don divin de leur dieu Amon, mais ce n'est pas le cas.

— Karine Binouche, c'est toi ! te rappelles-tu maintenant. Oui, c'est ça ! Ta photo a été placardée sur tous les commerces du quartier. Tu ne peux pas t'imaginer combien tu manques à tes parents. Ils croyaient que tu avais fais une fugue. Tout le monde t'a cherchée partout... »

Allez au chapitre 26.

47

Même en vous y mettant à trois, vous êtes incapables de l'ouvrir. Tu sors la tête dehors par le hublot à la vitre cassée et remarques qu'elle est verrouillée de l'extérieur par un gros cadenas.

L'un des membres de la bande de Jackson arrive au galop devant votre wagon. Avec son gros cigare, il allume la mèche d'un bâton de dynamite. Tu rentres la tête à l'intérieur et tu regardes tes amis d'un air assez paniqué. Le bâton de dynamite traverse le hublot et roule sous le coffre-fort.

Vous quittez le wagon blindé par une bouche d'air située au plafond jusqu'au toit du wagon voisin. Le bâton de dynamite explose et pulvérise une partie du wagon.

BRAAAAOOOUUUMM !

Le train est violemment secoué. Il danse sur le rail de gauche, retombe et danse maintenant sur celui de droite. Tu perds pied...

Tu t'agrippes juste à temps à l'échelle latérale du wagon de marchandises. Le train arrive sur un pont et penche dangereusement dans le vide, au-dessus d'un profond précipice...

Rends-toi au chapitre 3.

48

MALHEUR ! Le tronc roule sous les roues et stoppe la locomotive. De la vapeur chuinte de partout, et les roues tournent dans le vide.

Une tribu d'Indiens aux peintures de guerre encercle le long cheval d'acier en poussant de grands cris.

OUUUUU ! OOU ! OOOUUU ! OUUUUU !

Vous êtes vite capturés et traînés jusqu'à leur réserve dans une vallée bien abritée. Au milieu d'une forêt de tipis en peau de bison, vous attendez, attachés tous les trois à des poteaux... QUE L'ON VIENNE VOUS SCALPER !

Le chef, couronné de toutes ses plumes, arrive vers vous, les bras croisés devant son torse. Il te dépouille de ton yo-yo d'aventurier et se met à l'examiner avec curiosité. Limité dans tes gestes par les lacets de cuir, tu essaies de lui expliquer le fonctionnement. Il saisit très vite. Il attache le yo-yo à son doigt et le lance. Il sourit, mais entre vite dans une colère terrible lorsque qu'il s'envoie le yo-yo... SUR LE GROS ORTEIL !

Va au chapitre 97.

49

CRIC ! CRIC ! CRIC ! fait le remontoir lorsque tu tournes trois fois la couronne de la montre. Vos pieds ne touchent plus le plancher, et vous êtes aussitôt ramenés tous les quatre au carrefour des SPIRALES DU TEMPS.

Quelle chance ! La spirale du présent est là. Vous vous jetez dedans avant qu'elle ne disparaisse, pour enfin retourner dans la boutique de la rue Pasdebonsang.

« Qu'est-ce que vous faites ici ? rugit le brocanteur. La boutique est fermée. Vous vouliez me voler ? Foutez-moi le camp d'ici, bande de petits vauriens, avant que j'appelle la police...

— NON, MONSIEUR ! cries-tu. Nous ne sommes pas une bande de truands. Nous sommes des clients et nous voulons acheter... CETTE MONTRE-BRACELET !

— Cette montre-ci ? répète-t-il, pour en être bien sûr. Qu'est-ce qui te fait croire que tu peux te payer un pareil TRÉSOR ? te demande-t-il, en frottant sa barbe grise. C'est au-dessus de tes moyens, j'en ai bien peur.

— Mais nous n'avons pas un rond ! te chuchote Jean-Christophe. On ne peut pas l'acheter.

— Cette foutue montre a assez créé d'ennuis comme ça, lui expliques-tu, IL FAUT L'ACHETER... »

Va au chapitre 106.

50

Tu attrapes la disquette et tu la montres fièrement à tes amis. Jean-Christophe te presse d'agir. Tu sauvegardes le fichier du virus et tu remontes la couronne de la montre. Tout de suite, une spirale du temps vous transporte, de façon inespérée, le soir du 31 décembre 1999, dix minutes avant minuit. VITE !

Vous ne savez pas dans quelle ville vous êtes, mais ça ne fait rien, parce que presque tout le monde possède un ordi. Vous vous élancez vers la maison qui se trouve devant vous. Dehors, les guirlandes de lumières scintillent et, à l'intérieur, on fait la fête.

« Ces gens qui s'amusent ne se doutent même pas de ce qui se prépare dans leur ordinateur », chuchotes-tu à Marjorie.

Vous grimpez à l'étage, ouvrez une fenêtre et pénétrez dans une salle de lecture où est installé un ordinateur. Tu insères la disquette et tu presses le bouton « exécuter ». Le virus s'infiltre dans tout l'ordinateur, qui est maintenant prêt à accueillir le bogue... À MINUIT !

MISSION ACCOMPLIE !

Rapidement tu remontes la montre, et vous disparaissez vers le chapitre 4.

51

Foptitep et ses soldats s'engagent dans la direction que tu leur as donnée. Vous empruntez une série de passages et de couloirs et vous vous enfoncez plus profondément dans la pyramide. Tu commences à te poser de sérieuses questions. Me serais-je trompé ? Ai-je bien décodé les hiéroglyphes ?

Au bout d'une interminable galerie, vous arrivez dans une enceinte. Une série de flambeaux éclairent l'ouverture d'une grande fosse. Les soldats vous poussent, et vous chutez tous les trois quelques mètres plus bas dans une eau verte. Foptitep te lance un cruel sourire avant de quitter avec son escouade.

Dans la flotte jusqu'au cou, tu cherches à grimper à la paroi humide. Mais rien à faire, les pierres sont couvertes de petits champignons gluants. Le visage de Marjorie exprime soudainement de l'inquiétude. Vous vous collez l'un sur l'autre. Derrière vous, deux immenses yeux et deux narines percent la surface...

Profiterez-vous de l'indulgence du roi... ET DU DIEU BLANC ?

NON

« J'en connais beaucoup sur l'histoire de l'ancienne Égypte, poursuit-elle, et je peux vous jurer qu'il n'y a jamais eu de princesse appelée... KARINE !

— JAMAIS ? répètes-tu en cherchant à comprendre, toi aussi.

— C'est vrai que ça sonne plutôt bizarre, lui concède son frère. Moi non plus, je n'ai jamais entendu ce nom dans mon cours d'histoire... »

La nuit tombée, la barque royale jette l'ancre dans une baie tranquille, et le repas est servi aux esclaves. Une affreuse gibelotte au poisson pleine d'arêtes. L'odeur infecte atteint tes narines. Tu te demandes si ton estomac va tenir le coup.

Un serviteur arrive et tend, à toi et à tes amis, un joli plat de viande et de légumes cuits accompagnés de figues délicieuses. Le doux parfum de votre potage fait vite le tour de la cale et fait rougir les autres rameurs de jalousie. Vous avalez le tout, en vous demandant pourquoi vous, vous profitez de ce traitement de faveur. Oui, pourquoi vous...

Allez au chapitre 24.

53

C'est l'une des affiches que le shérif a placardée partout en ville : 5000 dollars, mort ou vif, pour le criminel notoire, Jérémy Jackson, et 3000 dollars pour la capture de chacun des membres de sa célèbre bande de voleurs.

Tu observes le portrait bouche bée, car ce Jérémy ressemble comme deux gouttes d'eau... À JEAN-CHRISTOPHE !

« C'EST UNE ERREUR JUDICIAIRE ! essaies-tu de leur faire comprendre. Nous ne sommes pas ceux que vous... »

Trois soldats pointent leur carabine à baïonnette dans ta direction.

« SILENCE ! vous somme le général. Morts ou vifs, pour moi il n'y a aucune différence. Alors, vous ne vous contentez plus de dévaliser les trains, vous partez carrément avec la locomotive et les wagons maintenant. Il est grand temps de payer pour tous vos crimes...

— Que l'on écarte de la vue du général ces fripouilles, ordonne un sous-officier aux soldats. Ils seront pendus demain à l'aube. »

Vous êtes escortés sous bonne garde jusqu'à la ville et enfermés dans la prison au chapitre 82.

54

Tu saisis tout de suite le revolver. Le visage caché par son chapeau poussiéreux, le cow-boy s'éloigne de toi en reculant. Bras écartés et mains ouvertes, il s'arrête à une centaine de mètres. Vous attendez tous les deux le signal. Mais, au fait, ça va être quoi, le signal ? Tu n'oses pas lui demander, de peur qu'il dégaine son arme et te flingue. Des gouttes de sueur te coulent sur le front, et tu ne peux pas les essuyer avec le revers de la main, pour la même raison. Soudainement, CRIIIII ! la porte du salon mortuaire s'ouvre. Un homme grand et mince au visage laiteux apparaît. C'est le croque-mort de la ville.

Il arrive vers toi et sort de ses poches un ruban à mesurer. Il le colle à ton pied et remonte le ruban jusqu'à ton front. Il marmonne quelques chiffres avant de disparaître dans son atelier. Déjà, ses coups de marteau se font entendre. Il s'est déjà mis au boulot. Rien de bien encourageant pour toi...

Une mouette quitte le toit d'une maison et survole la rue. Tu la regardes en ne bougeant que les yeux. Elle plane au-dessus du cow-boy et laisse tomber une grosse crotte blanche sur son chapeau. Le cow-boy rougit de colère et tire six coups... VERS L'OISEAU !

Tu pointes ton revolver vers le cow-boy au chapitre 20.

Avant qu'elle se referme, vous courez vers une grille.

Marjorie trébuche sur un fémur à demi enseveli dans le sable !

« OUCH ET OUACHE ! » fait-elle en apercevant l'os humain.

Tous les deux, vous l'aidez à se relever et vous réussissez juste à temps à vous mettre à l'abri derrière la grille avant qu'elle ne se soit complètement refermée.

Dans l'arène, c'est un vrai carnage qui commence. Vingt gladiateurs armés de petites épées, de filets et de boucliers affrontent une centaine de lions qui sont partout autour d'eux. Vous détournez les yeux, incapables de supporter une telle scène.

Dégoûtés, vous vous engouffrez à l'aveuglette dans les soubassements du Colisée, au chapitre 65.

Dans la chambre d'armes des gladiateurs, Jean-Christophe attrape un trident de rétiaire, un casque de mirmillon, une armure de Thrace et un gros bouclier. Même enseveli sous tout ce métal, il ne se sent pas trop en sécurité.

« Elle est pleine de trous, cette armure, se plaint-il. Un lion peut me mordiller le coude, là, te montre-t-il en soulevant son bras. Ou me mastiquer le genou, ici...

— T'as qu'à le repousser avec ton bouclier, lui explique Marjorie, et si ce n'est pas suffisant, arrange-lui le portrait avec ton épée... »

De retour près de l'arène, Marjorie et toi, vous activez le mécanisme d'ouverture de la grille. Tout de suite en entrant, Jean-Christophe doit enjamber deux cadavres déchiquetés par les lions. POUAH ! Son armure est lourde. Il progresse en traînant les pieds vers le centre de l'arène, contournant gladiateurs et lions qui se battent dans un combat sanglant.

Alors qu'il y est presque, un lion terrifiant à la crinière hérissée se place griffes tendues entre lui et ton yo-yo d'aventurier.

Jean-Christophe soulève son épée et frappe au chapitre 70.

« C'EST L'USINE DU TEMPS ! en déduit Jean-Christophe. Ce n'est donc pas une légende. Dans l'*Encyclopédie noire de l'épouvante*, un volume tout entier est consacré à cet endroit dans lequel on fabriquait le temps...

— FABRIQUER DU TEMPS ! reprend Marjorie. Vu que nous sommes ici, nous pourrions nous rajouter quelques centaines d'années d'espérance de vie ?

— Ce n'est pas comme ça que cela fonctionne, lui explique son frère. Le temps est fabriqué pour tout le monde. À partir de ce moment-ci, la moindre petite chose que nous allons faire dans le passé ou dans le futur pourrait avoir de très graves conséquences. Une simple intervention de notre part pourrait enclencher un séisme de modification. Ces tremblements du temps peuvent rayer de la carte des cités entières. ALORS, IL NE FAUT RIEN TOUCHER ! »

Tu tournes à nouveau la couronne de la montre. Pour savoir dans quelle partie du temps vous allez être projetés...

... TOURNE LES PAGES DU DESTIN !

Si vous êtes projetés dans le passé, allez au chapitre 2.
Si vous êtes envoyés dans l'avenir, allez au chapitre 6.

Pendant des heures, vous combattez vaillamment aux côtés de vos frères humains. Fumée et poussière recouvrent la moitié de la terre. Soudainement, un calme accablant s'installe et annonce la fin des hostilités. La fumée dissipée, il est maintenant facile de voir quelle espèce est sortie victorieuse...

FIN

Jean-Christophe découvre au dernier moment une étroite galerie. Vous vous catapultez tous les trois vers l'embouchure. En marchant à quatre pattes, vous parvenez à vous y engouffrer. Un soldat plutôt grassouillet fonce dans l'entrée de la galerie, mais il reste bloqué dans l'ouverture et empêche les autres d'entrer.

Son chef lui lance des tas de jurons antiques pendant que ses soldats ruisselants de sueur lui tirent les jambes pour essayer de le sortir de là.

Quelques mètres plus loin, une petite ombre s'amène vers toi... C'EST UN SCORPION ! Tu le frappes avec ta torche. C'est bien beau, tu as réussi à t'en débarrasser, mais ta torche s'est éteinte. Devant toi... NOIRCEUR TOTALE ! Tu tâtonnes le sol et les murs comme un aveugle jusqu'à ce que tes mains rencontrent un amoncellement de roches. Il y a eu un éboulis ici, et la galerie est bouchée...

Tu te rends au chapitre 34.

Les deux mains accrochées à la grille, la tête entre les barreaux, vous cherchez sur le sable de l'arène.

Il faut absolument que vous le retrouviez parce que même un simple yo-yo laissé dans une spirale du temps pourrait totalement changer... LE COURS DE L'HISTOIRE !

Si tu réussis à le retrouver, rends-toi au chapitre 88.
Si, par contre, il demeure introuvable, va au chapitre 22.

61

Le scorpion géant arrive.

Marjorie lui braque sa torche sur le visage. La grosse bestiole coupe la torche en deux, d'un coup de pince précis. **TCHAC !** Jean-Christophe s'interpose à son tour avec la sienne. Il balance sa torche de gauche à droite. Le scorpion frappe avec sa queue. Jean-Christophe s'écarte de la trajectoire du dard mortel, qui va se planter dans le sable, à deux centimètres de son espadrille. Le scorpion fait claquer ses pinces tranchantes et essaie d'attraper ton ami. Jean-Christophe pourra-t-il tenir longtemps devant la fougueuse attaque de cette créature répugnante ?

Tu évalues vite la situation : gouffre insondable, scorpion méchant et... POUTRES DE BOIS AU PLAFOND ! Si tu pouvais atteindre une de ces poutres avec ton yo-yo d'aventurier, vous pourriez vous balancer en sécurité de l'autre côté...

Mais avant que tu aies pu mettre la main dans ta poche, ton pied glisse sur le sable et ton corps vacille dangereusement vers la fosse, au chapitre 33.

62

Ton yo-yo manque la cible et arrive en plein sur la tomate du garde-chiourme.

TOC !

« AÏE ! hurle-t-il en se réveillant brusquement. Par Osiris, qu'est-ce qui se passe ? Vous avez essayé d'attraper mes clés avec cette arme étrange venue tout droit du Royaume des morts, conclut-il en apercevant le yo-yo dans tes mains. Vous ne semblez pas savoir ce qui attend les esclaves qui tentent de s'évader d'une des barques royales... »

Vous essayez de lui expliquer que vous venez de très loin, du futur en fait, et que vous vous êtes retrouvés ici par accident. Il ne comprend rien à votre histoire ; c'est normal pour un homme qui a passé toute sa vie dans les cales sombres des navires de ne pas avoir... LA NOTION DU TEMPS !

Au petit jour, vous vous remettez à ramer jusqu'à la ville de Thèbes, où habite la famille royale.

« Les trois esclaves sélectionnés par la princesse doivent être lavés et conduits aux quartiers des serviteurs et des esclaves du palais, ordonne un officier de la reine.

— NON ! » objecte le garde-chiourme.

POURQUOI NON ? Allez voir au chapitre 27.

Aussitôt que vous vous jetez dans la spirale, elle se met à tourner plus vite, et vous êtes aspirés. Tu fermes les yeux pour ne pas avoir mal au cœur. Au bout de quelques longues secondes, tu sens qu'elle tourne de moins en moins vite. Puis, finalement, tout s'arrête et, doucement, tes pieds touchent le sol.

Tu voudrais bien garder tes yeux fermés parce que tu as peur, mais **CLAC !** un coup de fouet heurte violemment ta cuisse et te force à les ouvrir.

« OUCH ! hurles-tu. ÇA FAIT MAL...

— ALLEZ, BANDE DE FAINÉANTS ! vous crie un homme accoutré de façon bizarre. Il faut que la grande pyramide soit terminée avant le coucher du soleil. Il faut respecter la dernière volonté du pharaon. Magnez-vous si vous ne voulez pas faire un petit plongeon dans l'étang des crocodiles. »

Vous vous regardez tous les trois...

« Nous avons été projetés en Égypte ancienne, constate Jean-Christophe. Lui, c'est un garde affecté à la surveillance du chantier. Il croit que nous sommes ses esclaves. »

Le garde fait tourner son fouet au-dessus de sa tête et frappe l'espadrille de Jean-Christophe. **CLAC !**

Vous vous rendez au chapitre 86.

64

« Qu'est-ce que c'était, ce bruit ? demande le shérif à son assistant.

— OUPS ! fait l'assistant en sortant de sa poche arrière... LA MONTRE-BRACELET...

— NOOOOOOON ! hurles-tu en apercevant la vitre craquelée.

— Oubliez cette montre, vous dit le shérif en voyant ta mine déconfite. Allez à la bijouterie de la ville. Dites que vous venez de ma part. Le bijoutier vous la remplacera contre une belle montre de gousset en or. C'EST GRATIS ! Pour tous les troubles que nous vous avons occasionnés... »

Vous vous regardez tous les trois en vous demandant si elle fonctionne encore.

Tu n'attends pas une seconde de plus... TU LA REMONTES ! Elle semble fonctionner, car elle te ramène au chapitre 64.

OUI ! ENCORE AU CHAPITRE 64... Parce que en fait, elle fonctionne couci-couça et vous ramène toujours au début de ce chapitre, que vous devez revivre... ÉTERNELLEMENT !

65

Des cris lointains parviennent à vos oreilles. Ce sont sans doute des esclaves emprisonnés qui seront jetés aux lions plus tard.

Tu regardes Jean-Christophe d'un air dépité. Il hoche la tête de droite à gauche en signe de négation.

« Nous ne pouvons rien faire pour ces malheureux, dit-il d'une voix calme. Leur destin est déjà tracé. Les libérer aurait des répercussions catastrophiques sur l'histoire du monde. »

Tu glisses les mains dans tes poches en signe d'impuissance. Tes yeux s'agrandissent de terreur.

« Quoi ? Qu'est-ce qu'il y a ? te demande Marjorie, d'un air inquiet. T'as vu un fantôme ?

— Non ! lui réponds-tu. C'est mon yo-yo d'aventurier, IL EST TOMBÉ DE MA POCHE !

— Probablement lorsque que tu aidais Marjorie à se relever, songe Jean-Christophe. Il faut le retrouver coûte que coûte. »

Vous retournez à la grille au chapitre 60

« Mais nous l'avons, cette foutue montre-bracelet à voyager dans le temps de malheur, lui dis-tu. Je la porte à mon poignet depuis le début...

— QUOI ! se réjouit Jean-Christophe.

— T'AURAIS PAS PU LE DIRE PLUS TÔT, s'emporte Marjorie. S'pèce d'imb...

— CALMEZ-VOUS ! vous supplie Jean-Christophe. Nous avons la montre, c'est ce qui compte.

— Nous allons revenir à la maison, chante Karine en dansant dans la cabine. Nous allons revenir chez nous... »

Faites tous les quatre un cercle, et remonte la montre jusqu'au chapitre 49.

67

Le scorpion continue de vous traquer et gagne du terrain. Pris de panique, tu te jettes dans un couloir, puis dans un autre, sans regarder où tu vas. Marjorie et Jean-Christophe ont de la peine à suivre ton rythme. Tu t'arrêtes net lorsque tu remarques que tu n'as plus le plan de la pyramide en ta possession. Tu l'as échappé quelque part derrière toi. Tu songes quelques secondes à retourner le chercher, mais les petits cris du scorpion te font vite changer d'idée.

HRUII ! HRUII!

« AU DIABLE CE PLAN ! » t'écries-tu en courant.

Vous traversez comme des malades un autre long passage. Vous devez stopper net lorsque vous arrivez au bord d'un gouffre. Une fumée noirâtre s'en dégage et vous empêche d'en évaluer la profondeur. Impossible de prendre un élan et de sauter de l'autre côté. La poisse, quoi...

Tu te rends au chapitre 61.

68

Dehors, au milieu de la rue, tu te rappelles tout à coup que tu n'as que ton yo-yo d'aventurier dans les poches ET PAS DE REVOLVER ! Tout près de toi, trois chevaux lourdement chargés sont attachés à un pilier et boivent dans un abreuvoir. Tu fouilles des yeux leur chargement à la recherche d'une arme.

Si tu réussis à trouver un revolver, rends-toi au chapitre 54. Tu pourras te battre en duel en n'ayant pas les mains vides.

Par contre, si tu ne le trouves pas, dégaine ton yo-yo et rends-toi au chapitre 92.

69

Au comptoir de la bibliothèque, la préposée vous interpelle...

« Je suis désolée les jeunes, vous dit-elle brusquement, mais la bibliothèque ferme dans une minute, vous n'aurez pas le temps de choisir des livres.

— Madame, lui répond Jean-Christophe en passant le tourniquet sans s'arrêter, c'est justement à cause du TEMPS que nous sommes ici. »

Et il file dans la rangée des livres d'histoire.

Vous le suivez en soulevant les épaules devant la dame désemparée. Jean-Christophe saisit un grand livre d'histoire, l'ouvre et pose son doigt sur une page au hasard.

« Lis-moi ce qui est écrit ici ! » t'ordonne-t-il, les yeux fermés.

Tu te penches sur le grand volume...

« Colomb, Christophe, né à Gênes en 1451, lis-tu à voix haute. Tout semble normal...

— Continue ! insiste-t-il...

— En 1492, il traversa l'Atlantique, poursuis-tu. Pour donner un spectacle de musique rap avec son groupe les Karavelles à Miami, en Floride... »

OUPS !

70

Il frappe la tête du terrifiant lion avec le côté plat de son épée.

CLOC !

Le grand carnivore vacille un peu et tombe dans le sable, assommé.

Les spectateurs veulent la mort du gros félin. Ils pointent tous le pouce vers le sol.

« PAS QUESTION ! se dit Jean-Christophe en reculant. Tuer ce lion risquerait de créer un de ces tremblements du temps qui pourrait tout changer à l'histoire. »

La foule le hue. **CHOUUUUUUU !**

Il essaie de se pencher pour prendre le yo-yo, mais il ne peut pas, car l'armure limite ses mouvements. Il réussit tout de même à le ramasser avec le bout de son épée. Le yo-yo en équilibre précaire sur son arme, il revient très lentement vers vous.

Les spectateurs semblent apprécier son petit tour d'adresse et l'applaudissent...

« ILS SONT FOUS ! » vous dit-il à travers la visière de son casque.

Pendant que Marjorie aide son frère à enlever l'armure, tu remontes la couronne de la montre-bracelet afin de retourner au carrefour des SPIRALES DU TEMPS du chapitre 4.

71

Quel fin observateur tu es ! Tu attrapes la fourchette et, pendant que Jean-Christophe surveille l'assistant du shérif qui roupille sur sa chaise, tu réussis à forcer la serrure.

Sans faire de bruit, tu ramasses ton yo-yo d'aventurier et la montre-bracelet, et vous sortez de la prison. Dehors, vous devez vous arrêter, car une foule déchaînée vous menace avec des fourches à bêcher, des pelles, des couteaux et même des armes à feu. Ce sont les habitants de la ville ; ils sont venus vous lyncher...

« VOUS ALLEZ PAYER POUR VOS CRIMES ! vous crie une vieille dame à la bouche édentée.

— Madame, l'implores-tu, tout condamné à mort a droit à une dernière requête.

— C'est une dernière cigarette que tu désires ? te demande-t-elle.

— Non, je veux juste remettre ma montre à la bonne heure, lui réponds-tu. JUSTE ÇA !

— Ta dernière requête est complètement idiote, mais si tel est ton désir, dit-elle, vas-y... »

Tu tournes la couronne du remontoir, et vous disparaissez tous les trois sous les yeux agrandis de terreur de la foule, jusqu'au chapitre 4.

Vous empruntez un profond couloir qui vous amène dans les soubassements de la pyramide. La flamme de vos torches s'agite : il y a un courant d'air. Il y a une sortie pas loin. Tu t'arrêtes pour consulter à nouveau le plan.

« À droite, à gauche et encore vers la gauche », leur montres-tu.

Devant vous, une ombre se dessine. Tu tends la torche devant toi.

Vous déguerpissez vers le chapitre 67.

« Ces trois-là ! ordonne-t-elle en vous pointant du doigt.

— La princesse Karine a fait son choix », annonce l'intendant royal.

Pendant que les esclaves sont reconduits au chantier, les gardes personnels de la princesse vous escortent à bord de la barque royale, où vous êtes enchaînés dans la cale et forcés à ramer au son régulier d'un tambour.

POUM ! POUM ! POUM !

Le garde-chiourme vous menace continuellement avec son fouet.

CLAC !

« Pourquoi a-t-il fallu qu'elle nous choisisse, NOUS ? s'interroge Jean-Christophe. Il y avait des milliers d'esclaves sur les rives du Nil. Pourquoi nous ?

— Il y a quelque chose qui ne tourne pas rond, réfléchit Marjorie. À l'école, ma matière préférée, c'est l'histoire. Je suis la meilleure, « top niveau », comme on dit. Personne ne peut m'en passer.

— À quoi veux-tu en venir ? » lui demandes-tu en tirant sur la rame.

Allez au chapitre 52.

74

Du sable commence à s'infiltrer par des ouvertures au plafond.

« Les prêtres égyptiens veulent s'assurer qu'aucun voleur ne pille la tombe du pharaon, vous dit Jean-Christophe. Toutes les galeries seront remplies de sable. IL FAUT PARTIR ! »

Vous rebroussez chemin et retournez à l'entrée de la salle mortuaire, où repose le sarcophage du pharaon. Derrière vous, le sable arrive en grosses vagues. Vous faites vite sauter le sceau sacré de la porte, et vous pénétrez dans la grande salle. Aidé de Jean-Christophe, tu bloques la porte avec des amphores pleines d'huile et une grande statue du dieu Horus. Le visage t'allonge lorsque tu aperçois Marjorie qui pousse vers vous un lourd coffre rempli de pièces d'or.

« NOOOOOON ! cries-tu à pleins poumons. IL NE FALLAIT PAS TOUCHER AUX TRÉSORS DU PHARAON... »

Au centre de la salle, le couvercle du sarcophage s'ouvre lentement. CRIIIII ! Une main enrubannée apparaît. Tu te mets à trembler...

FIN

75

C'EST PAS BEAU À VOIR ! L'homme est une espèce de mutant, un « homme-ordi » qui n'a pas de bouche et qui transporte un ordinateur. Les différentes composantes de l'ordinateur sont directement connectées à lui par plusieurs fils électriques qui lui traversent la peau. Il s'arrête net devant vous... CLIC !

Ses yeux rouges lumineux se mettent à clignoter, et un message apparaît à l'écran : INTRUS ! INTRUS ! INTRUS ! ZONE 75. Trois fois le mot intrus, une fois pour chacun de vous.

Vous cherchez à comprendre ce qui se passe et à quelle époque vous vous trouvez. Autour de vous, des dizaines de machines combinées à des humains s'amènent. Vous essayez de reculer, mais une pelle hydraulique vous barre la route. Dans la cabine de conduite, vous remarquez un grand bocal dans lequel flotte une tête d'homme branchée au tableau de bord par un câblage complexe. Trois mobylettes tournent autour de vous en vrombissant. Sur chacune d'elles sont attachées, vissées et reliées par une tuyauterie élaborée... DES PERSONNES !

Capturés par ces mutants biomécaniques, vous êtes reconduits dans l'usine d'assemblage principale de LA PLANÈTE DES MACHINES...

... au chapitre 85.

76

Tu poses le pied sur le tronc plutôt mince de l'arbre. Marjorie, qui a le vertige, débite des tas de bêtises tout bas, mais finit par te suivre. Allez-vous réussir à traverser sans tomber ?

Pour le savoir, rappelle-toi le numéro de ce chapitre, ferme ton Passepeur et pose-le debout dans ta main.

Si tu réussis à faire trois pas devant toi en tenant le livre en équilibre sans qu'il tombe, eh bien bravo ! vous avez réussi à atteindre l'autre côté de la crevasse, au chapitre 29.

Si, par contre, le livre tombe avant que tu aies fait trois pas, vous chutez tous au chapitre 89.

77

Vous voici au bout de la galerie qui, comme tant d'autres, n'est qu'une impasse. Vous remarquez le cadavre d'un ouvrier appuyé sur le mur. Sans doute qu'il s'était perdu, lui aussi. Pas très encourageant...

Une flûte en terre cuite peinte d'une belle couleur turquoise pend de sa bouche. Tu réfléchis quelques secondes...

« CETTE FLÛTE ! cries-tu à tes amis en arrachant le petit instrument de musique des lèvres durcies du cadavre. ELLE EST PEUT-ÊTRE LA CLÉ... »

Dégoûté, tu la portes à ta bouche et tu en tires quelques notes. Un immense bloc de granit s'écarte pour vous ouvrir la voie.

BRRRRRRRRRR !

« OUAIS ! BIEN JOUÉ ! » s'exclame Marjorie.

Dehors, le soleil vous aveugle. Vous retournez discrètement d'où vous êtes arrivés, là où le portail du temps s'est ouvert.

Arrivés à l'endroit exact, vous remontez la montre-bracelet et retournez au carrefour des SPIRALES DU TEMPS, au chapitre 4.

78

La porte est si lourde que vous devez vous y mettre tous les trois pour la faire pivoter sur ses gonds. Elle est drôlement solide. Elle doit certainement leur servir à se protéger, mais la question est : se protéger de quoi ?

Entre le chœur et le portail de l'église sont rassemblés une centaine de fidèles. Ils sont comme vous, humains, sans aucune déformation physique. En fait, ils n'ont pas un seul bouton au visage.

Un petit garçon t'aperçoit. Il tire les vêtements de sa mère et te pointe du doigt. Elle se retourne...

« LE MESSAGER ! se met-elle à crier en t'apercevant. LE MESSAGER EST ARRIVÉ... »

Tous les fidèles vous entourent et se prosternent à vos pieds. Jean-Christophe et Marjorie se sentent très embarrassés. Toi, tu n'as jamais été aussi mal à l'aise de ta vie. Les fidèles cèdent le passage à un vieil homme qui s'approche de toi. Il porte une soutane orange.

« Nous vous attendions, te dit-il d'une voix accueillante. Je vois que vous possédez l'objet sacré ? »

De quel objet sacré veut-il bien parler ? Allez vite au chapitre 13.

Les roues d'acier grincent sur les rails lorsque le train monte une haute montagne. Tout à fait en haut, la montagne vous offre une vue imprenable. Vous en profitez pour surveiller la route devant vous...

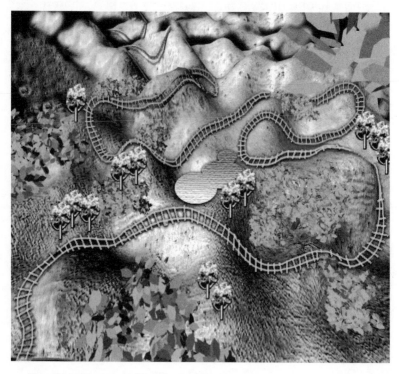

Rendez-vous au chapitre 30.

CLAC ! ton yo-yo atteint le grand cannibale en plein sur la gueule...

Il vacille et finit par s'écrouler sur le sol avec toute sa panoplie d'ossements humains.

BROOUM ! CLIC ! CLAC ! CLIC !

Tu rattrapes ton yo-yo. **SSSSHHHHHHHHPP !**

« BIEN FAIT POUR LUI ! craches-tu devant les autres qui, apeurés, commencent à s'éloigner. AU SUIVANT DE CES MESSIEURS ! Qui possède le billet numéro 2 ? demandes-tu, prêt à faire face au suivant. Le numéro 2 est prié de se présenter au comptoir des coups et taloches pour une expédition rapide au pays des songes... »

Tu pointes ton yo-yo vers un homme préhistorique hystérique qui laisse tomber sa lance et s'enfuit à toutes jambes. Sous les regards apeurés des autres, tu lances ton yo-yo vers le sol et tu le fais remonter rapidement. **SSSHHHHP !** Tu exécutes ensuite quelques impressionnantes figures : la balançoire, la promenade du chien et le tour du monde. Terrorisés, ils laissent tous tomber leurs armes et déguerpissent.

« TERMINÉ, LE SPECTACLE ! » te crie Jean-Christophe en te tirant par le bras...

... jusqu'au chapitre 25.

Vous progressez lentement d'une galerie à l'autre. Tu remarques que de la lumière s'infiltre par une fissure entre deux pierres, à ta gauche. On dirait que vous touchez au but.

« Oui ! fais-tu, lorsque vous arrivez à l'entrée de la pyramide. Comme j'espérais. »

Foptitep stoppe net et fixe la sortie d'une mine déconfite.

« VOUS M'AVEZ BERNÉ ! s'exclame-t-il, soudainement fou de rage. Personne ne se paie la tête de Foptitep. »

Il soulève son épée pour trancher la tienne...

Un contremaître intervient inopinément.

« NON ! hurle-t-il en retenant son bras. Tous les esclaves doivent se rendre au port du Nil : ordre de la reine. La barque royale va accoster dans quelques minutes pour permettre à la princesse de choisir ses esclaves personnels. »

Attachés l'un à l'autre, vous marchez dans le sable chaud jusqu'au quai. Vous vous prosternez tous les trois avec les autres esclaves. La jeune et belle princesse descend de la passerelle et... S'ARRÊTE DEVANT VOUS !

Allez au chapitre 73.

Étendu sur la couchette crasseuse d'une cellule, tu lis les graffitis écrits sur les murs jusqu'à ce que tu tombes sur celui qui parle d'une fourchette cachée dans la cellule. Avec cet ustensile, tu pourrais forcer la serrure de la porte. Tu la cherches partout.

Observe cette image. Si tu réussis à trouver la fourchette, rends-toi au chapitre 71. Par contre, si tu ne la vois nulle part, va au chapitre 101.

En fouillant tous les fichiers de l'ordinateur, vous réussissez à trouver ce virus ML-5. Il se trouve dans l'un des fichiers d'archives. Aujourd'hui, il est totalement inoffensif pour l'ordinateur, mais, implanté dans n'importe quel ordi quelques jours avant l'an 2000, il aurait complètement exterminé le bogue de tous les ordinateurs de la terre.

Vous décidez alors de mettre le virus sur une disquette et de retourner dans le passé pour l'implanter dans un ordinateur. Un seul ordinateur suffira, n'importe quel. Pour cela, il va vous falloir... UNE DISQUETTE !

Tu regardes tes amis...

« Ne me dévisage pas comme cela, te lance Marjorie. Tu crois que je traîne dans ma poche une disquette au cas où la planète serait sous la menace d'ordinateurs fous qui voudraient conquérir le monde ? »

Jean-Christophe met les mains dans ses poches et soulève les épaules.

Vous vous mettez à fouiller la salle de fond en comble, à la recherche d'une disquette au chapitre 104.

Le cow-boy te regarde d'une façon très cruelle. Impossible d'éviter le duel. Très lentement, tu glisses la main dans ta poche pour en ressortir tout aussi lentement ton yo-yo d'aventurier. Le cow-boy sourit à la vue de ton ridicule jouet.

SUFFIT LES CONNERIES ! Il dégaine lui aussi son colt. Tu lances très vite ton yo-yo en direction du réservoir d'eau. Le yo-yo frappe et brise le robinet. L'eau pisse sur la tête du cow-boy.

GLOUGLOUGLOU !

Tu rattrapes ton yo-yo.

Mouillé de la tête aux pieds, le cow-boy entre dans une colère noire. Il tend son bras, pointe son colt dans ta direction et appuie sur la gâchette.

PAN !

La balle siffle !

Tu gardes ton sang-froid et tu lances une seconde fois ton yo-yo en direction de la balle. Vas-tu réussir à l'atteindre ? Pour le savoir...

... TOURNE LES PAGES DU DESTIN et vise bien.

Si tu parviens à atteindre la balle, SUPER ! Va au chapitre 103.

Par contre, si tu l'as ratée, va voir ce qui t'arrive au chapitre 28.

85

Le camion à ordures vous décharge à l'entrée des marchandises de l'usine, et vous êtes immédiatement enfermés dans une pièce remplie d'écrans.

« À quelle époque sommes-nous ? s'interroge Marjorie, un peu troublée. Ce n'est pas possible, toutes ces horreurs.

— Y a pas de doute que nous sommes dans le futur, en déduit Jean-Christophe. Les hommes sont devenus les esclaves des machines et des ordinateurs qui dominent le monde.

— Ils vont faire la même chose avec nous, affirme Marjorie, tout affolée. FAITES QUELQUE CHOSE ! »

Tu t'approches d'un clavier placé sous l'un des écrans. Tu pianotes sur quelques touches, et la date apparaît : 2004.

« NON ! te mets-tu à hurler. Ce n'est pas possible qu'en si peu de temps, la terre tout entière tombe sous l'emprise de machines créées par l'homme. »

Tu pitonnes à nouveau sur le clavier pour en savoir plus. L'histoire dit que la révolution des machines a commencé le 1er janvier 2000, le jour où le supposé bogue de l'an 2000 devait se manifester... MAIS NE L'A PAS FAIT !

Rends-toi au chapitre 37.

« OUCH ! OUCH ! crie Jean-Christophe en dansant sur une jambe.

— VOUS ALLEZ VOUS GROUILLER ! hurle le garde, rouge d'impatience. Ce dernier bloc de pierre ne montera pas tout seul en haut de la pyramide. »

Pour éviter d'autres coups de fouet, vous poussez tous les trois le bloc de calcaire sur la rampe de sable. La chaleur est insoutenable, et les rayons du soleil brûlent ta peau. Marjorie, qui souffre d'asthme, ne tiendra pas très longtemps dans cette fournaise. Quelques mètres plus haut, tu aperçois l'entrée de la pyramide.

« Nous avons peut-être une chance de nous enfuir, chuchotes-tu à tes amis en leur montrant l'entrée d'un signe de tête.

— C'est un vrai labyrinthe là-dedans, te signale Marjorie, qui n'est pas très enthousiaste à cette idée.

— Sur le tableau de la classe d'histoire, il y avait un plan de cette pyramide, lui expliques-tu. Je ne me rappelle peut-être pas tous les passages, mais c'est toujours mieux que de rester près de ce fou au fouet. »

Vous vous élancez vers l'entrée sombre de la pyramide, au chapitre 18.

87

Sur le dos, au fond de la fosse, tu aperçois des dizaines de petits scorpions affamés qui... AVANCENT VERS VOUS !

Ce n'est donc pas le temps ni l'endroit pour te plaindre de ton mal. Tu te relèves subito et tu recules avec tes amis vers la paroi opposée. Tu remarques juste là que la corde du yo-yo n'est plus attachée à ton doigt. C'est super, mais vous devez sortir d'ici au plus vite.

Tu fais la courte échelle à Marjorie et ensuite à Jean-Christophe, qui te tend la main pour te hisser hors de la fosse. Marjorie fait une grimace au scorpion, de l'autre côté. Le scorpion frappe de rage les parois de la galerie. Alors que vous vous retournez pour poursuivre votre route, vous arrivez nez à nez avec... LE PAPA SCORPION !

Il faut dire que là... VOUS VOUS ÊTES FAIT PIN-CER...

FIN

« IL EST LÀ ! cries-tu à tes amis en le pointant du doigt. LÀ ! LÀ! »

Oui, vous l'avez retrouvé. Mais il se trouve en plein centre de l'arène où les gladiateurs et les lions s'affrontent.

« Qu'est-ce qu'on fait ? » demande Marjorie.

Jean-Christophe se gratte la tête.

« Il faudrait être équipés d'une armure pour espérer le récupérer, pense-t-il. Sans armure, oubliez cela...

— Je sais, moi, où trouver tout ce qu'il nous faut, t'exclames-tu fièrement : dans les quartiers des gladiateurs ! Je sais où ça se trouve. Je m'en souviens très bien, parce que j'ai visité le Colisée avec mes parents pendant nos vacances, l'année passée. Oui, l'année passée, euh ! qui se trouve dans le futur, enfin, vous savez ce que je veux dire...

— Non, mais ça n'a aucune espèce d'importance, t'avoue Marjorie. Du moment que tu peux nous conduire jusque là. »

Vous pénétrez encore plus profondément sous le Colisée, jusqu'au chapitre 56.

OH NON ! Le tronc roule sur lui-même, et vous tombez tous les trois une centaine de mètres plus bas dans une rivière agitée.

TRIPLE SPLOUCH !

Vous nagez très vite vers la rive, car des poissons carnivores et poilus vous poursuivent. Quelle époque de fous ! Vous réussissez à gagner la berge juste à temps. Debout, tout trempés, vous évaluez les dégâts. Quelques égratignures, mais rien de bien dramatique, sauf que maintenant, la montre-bracelet a pris l'eau et... NE FONCTIONNE PLUS !

Tu essaies et tu essaies de la remonter... RIEN À FAIRE ! Le mécanisme est déjà figé dans la rouille...

Vous êtes condamnés tous les trois à passer le reste de votre vie ici et à vivre à la façon des hommes préhistoriques.

Une grotte comme logis, habillés de peaux d'animaux, vous essayez comme vous pouvez de vous adapter et de survivre dans ce monde hostile en vous nourrissant de viande de mammouth et de fruits gigantesques.

C'est difficile d'accepter ce triste destin lorsqu'on pense que tout cela est arrivé à cause d'une gaffe que tu vas faire dans 42 000 ans, dans une certaine boutique de brocante...

FIN

« Lorsque je dis qu'il faut avoir un plan, je ne veux pas dire ce genre de plan-là, essaie de lui expliquer Jean-Christophe. Ce plan-là n'est pas le genre de plan dont je parle. Là, tu comprends ?

— C'est aussi clair que ce plan... » lui répond Marjorie en accrochant le casque d'écoute de son baladeur à ses oreilles pour ne plus rien entendre.

Avec Jean-Christophe, tu te mets à l'analyser. Marjorie y jette aussi un coup d'œil, par-dessus ton épaule.

« Des yeux, quelques faucons, des signes étranges, quelques scarabées, essaie-t-elle de comprendre. C'est inutile, je ne saisis rien... C'EST DU CHINOIS POUR MOI !

— Tu veux que ce soit ta CARCASSE MOMIFIÉE que les archéologues découvrent dans 5000 ans au fond de cette pyramide ? lui dit son frère en soulevant un de ses écouteurs. NON ! Alors, aide-nous. Sur ce plan, il y a les indications pour se rendre à la sortie ; il s'agit de comprendre un peu.

— J'me rappelle avoir lu quelque part dans l'*Encyclopédie noire de l'épouvante*, leur racontes-tu, que les scarabées pouvaient entrer et sortir des pyramides à leur guise. C'est comme s'ils connaissaient les dédales du labyrinthe. Les prêtres qui quelquefois s'y perdaient suivaient ces insectes, qui souvent les conduisaient jusqu'à la sortie. »

Examine le plan au chapitre 44.

91

Lorsque vous êtes rendus tous les trois de l'autre côté de la fosse, tu décroches ton yo-yo d'un geste sec de la main et tu le ramènes en le faisant tourner sur son axe. **CRHHHHHHHHH !** Tu l'embrasses avant de le remettre dans ta poche parce qu'il vient de vous sauver la vie...

Sans torche pour vous éclairer, vous avancez lentement en tâtonnant les murs. Tout en haut d'un escalier, la lumière du soleil réussit à s'infiltrer entre les pierres de la pyramide et illumine faiblement une autre longue et étroite galerie.

« J'crois que nous brûlons, conclut Jean-Christophe. La sortie n'est pas très loin. Il n'y a qu'un seul mur de pierres entre nous et l'extérieur. »

Alors que tu t'approches du mur pour jeter un œil entre deux dalles, une vipère glisse dans le joint et pénètre dans la pyramide. Vous vous écartez vite de son chemin.

« Après vous, madame ! lance Marjorie, accrochée à son frère, en regardant le serpent venimeux descendre l'escalier.

— TU VAS M'ARRACHER LE BRAS ! se plaint Jean-Christophe. Tu peux me lâcher, maintenant que la méchante bébête est partie. »

Vous marchez d'un pas rapide jusqu'au chapitre 77.

92

Le cow-boy te regarde d'une façon cruelle. Tu te dis que même armé de ton simple yo-yo d'aventurier, tu aurais peut-être une chance de sortir vivant de ce duel.

Examine attentivement cette illustration et rends-toi ensuite au chapitre correspondant à l'endroit où tu veux lancer ton yo-yo.

Vous ouvrez lentement celle de gauche. De l'autre côté s'étend à perte de vue une forêt dense. Au loin, la fumée noirâtre d'un volcan en éruption flotte au-dessus d'une grande vallée parsemée de lacs bleus.

Vous n'avez pas le temps de regarder ce qui se trouvait derrière l'autre porte que celle-ci disparaît ainsi que l'antichambre. Il semblerait bien que vous l'ayez choisie malgré vous.

Vous marchez longtemps dans cette forêt humide. Des cris d'animaux parviennent à vos oreilles. Vous n'avez jamais entendu pareils hurlements, même dans des reportages télévisés sur la faune. Plus loin, vous découvrez des traces de pas. Des pas d'hommes un peu grands, mais des pas d'hommes quand même. Vous les suivez jusqu'à ce que vous arriviez dans le territoire de chasse d'hommes très poilus, habillés de peaux de tigre. Ils chargent dans votre direction. VONT-ILS VOUS ATTRAPER ? Pour le savoir...

... TOURNE LES PAGES DU DESTIN !

S'ils réussissent à vous capturer, allez au chapitre 12.
Par contre, si vous parvenez à vous échapper,
rendez-vous au chapitre 35.

94

Devant vos yeux agrandis de stupeur s'étend une ville fantôme détruite par une bombe ou un cataclysme. La plupart des grands édifices sont à demi effondrés. Quelques-uns ont littéralement été scindés en deux. La végétation pousse partout.

Allez au chapitre 15.

« Je tourne la couronne de la montre-bracelet, et nous voilà repartis dans un autre voyage à travers le temps, leur proposes-tu. Finis nos problèmes ici...

— Oui, mais tu as oublié tous ces gens dans le train, te fait-il remarquer. J'ai compté quatre wagons et 60 passagers par wagon, se met-il à calculer. Ça fait donc environ 240 personnes. La vie de tous ces gens est entre nos mains, explique-t-il. Nous allons conduire nous-mêmes ce train jusqu'à la prochaine ville du Far West. Une fois tout ce beau monde en sécurité, tu activeras la montre-bracelet.

— Sauver tous ces gens n'est pas une mince affaire, essaies-tu de lui faire comprendre. Et puis, tu sais conduire un train, toi ?

— Ça doit pas être bien difficile, réfléchit-il en regardant tous les cadrans.

— C'EST « FAFA » ! sourit Marjorie. Nous n'avons qu'à suivre les rails... »

Vous lui décochez un sourire idiot et vous partez vers le chapitre 79.

96

Juste devant cette église, qui semble être la seule construction à avoir été épargnée, vous trouvez une grande statue qui te ressemble étrangement. Marjorie ne cesse de te regarder et d'examiner la sculpture.

« J'SUIS PAS À VENDRE ! » lui craches-tu, mal à l'aise.

À l'intérieur, les chants se poursuivent. Vous collez tous les trois l'oreille sur la porte. Les fidèles de cette église louangent plusieurs fois... TON NOM !

Vous vous regardez tous les trois en vous demandant si c'était vraiment une bonne idée. Après tout, cette église pourrait être la demeure d'humains horriblement mutilés par des radiations atomiques ou quelque chose du genre. Des mutants dangereux et pas beaux à voir, quoi...

C'est peut-être risqué, mais c'est la seule façon de savoir ce qui s'est passé ici... TU POSES LA MAIN SUR LA GROSSE POIGNÉE EN BRONZE !

Est-ce que la porte est verrouillée ? Pour le savoir...

... TOURNE LES PAGES DU DESTIN !

Si elle n'est pas verrouillée, entre dans l'église par le chapitre 78.

Si, par contre, elle l'est, rends-toi au chapitre 45.

« UUHROOO ! » crie-t-il en dansant sur une jambe.

Tu ne sais pas ce que veut dire UUUHROOO ! mais c'est probablement OUILLE ! dans le langage des Indiens.

Il avance vers toi, rouge de colère. Et une peau rouge, rouge de colère, ce n'est pas beau à voir. Il dégaine un long couteau. Tu te dis que ça y est. Il va te faire une coupe à la mode... À LA MODE INDIENNE ! Il aperçoit la montre-bracelet briller à ton poignet. Il te l'arrache sauvagement et se met à la tripoter. Tu te dis pour toi-même : « OH NON ! » et avec raison, car ce qui devait arriver arrive... Le chef tourne la couronne de la montre. Il disparaît sous les regards horrifiés de la tribu et réapparaît quelques secondes plus tard habillé d'un scaphandre illuminé et armé d'un « pistolaser ». Vous vous regardez tous les trois et comprenez que le chef vient de faire un petit voyage dans le temps et revient... DU FUTUR !

Inconscient du pouvoir désintégrateur du « pistolaser », il pointe dangereusement l'arme dans votre direction et appuie sur la gâchette.

ZIIIOOUUMM !

FIN

Dehors, les balles sifflent...

TSIIIIIIIII ! TSIIIOU !

Le train à vapeur augmente sa vitesse, mais il ne parvient pas à s'éloigner de la bande de voleurs sanguinaires. Une balle fracasse tout à coup un hublot.

CRAAAAC !

« LE COFFRE-FORT ! hurle Marjorie en apercevant la grosse boîte noire aux solides pentures dorées. Ils en ont après le contenu de ce coffre-fort !

— Il doit être bourré de lingots d'or et de billets de banque, conclut Jean-Christophe.

— Dans ce cas, il faut le jeter hors du train, t'exclames-tu d'un seul trait. De cette façon, ils seront obligés de nous foutre la paix s'ils veulent ramasser leur butin. »

BONNE IDÉE !

Jean-Christophe s'élance vers la grande porte coulissante. Si elle est verrouillée, vous ne pourrez pas mettre votre plan à exécution. L'est-elle ? Pour le savoir...

... TOURNE LES PAGES DU DESTIN !

Si elle ne l'est pas, ouvrez-la au chapitre 16.
Si, par malheur, elle est verrouillée, allez au
chapitre 47.

99

Tu fixes intensément l'arme du cow-boy et tu lances de toutes tes forces ton yo-yo. Vif, le cow-boy dégaine son colt et pulvérise ton yo-yo d'une seule balle. **BANG !**

Tu fermes les yeux, car tu sais que ça va être ton tour. Le cow-boy s'amène vers toi et te dépouille de ton argent de poche, de tes espadrilles... ET DE TA MONTRE ! Il porte la montre à son oreille et constate qu'elle ne fait pas tic-tac.

« Quelle drôle d'idée de trimballer une montre brisée », crache-t-il avant de se mettre à la secouer.

Tu voudrais bien l'avertir que c'est dangereux de faire ça avec cette montre-là, mais avant que tu puisses ouvrir la bouche, **ZIIOOOUMM !** il disparaît...

Il revient toutefois quelques secondes plus tard, camouflé sous une lourde armure de chevalier, armé d'une massue d'homme préhistorique dans une main et d'une mitraillette dans l'autre.

« Lors de mon petit voyage, te dit-il sous l'armet de son armure, j'ai pu faire des emplettes... J'AVAIS LE TEMPS ! »

BRAVO ! Grâce à toi, ce petit bandit sans importance deviendra le plus grand criminel de tous les temps...

FIN

Après plusieurs minutes de marche, vous sentez qu'il y a quelque chose qui cloche, car les soldats semblent agités et nerveux. Ils discutent à voix basse entre eux et semblent chercher de tous les côtés.

« Je crois qu'ils sont perdus, te murmure Jean-Christophe à l'oreille. Cette pyramide est pleine de galeries et de couloirs. C'est un labyrinthe à toute épreuve. Les pyramides sont construites de cette façon pour que les pilleurs de tombes s'y perdent à tout jamais. »

Entourés des autres soldats, vous suivez Foptitep, qui, d'un pas décidé, emprunte un autre passage. Puis un autre, et encore un autre.

« ON TOURNE EN ROND, CHEF ! lui crie soudainement un de ses soldats. Cette fresque de hiéroglyphes et de symboles peints sur le mur, je la reconnais, nous sommes passés ici tantôt... À DEUX REPRISES !

— Ces textes peuvent peut-être nous indiquer la route à suivre, poursuit un deuxième soldat. Vous savez lire, chef ?

— JE NE SUIS PAS UN SCRIBE ! se met-il à hurler. JE SUIS UN SOLDAT ! »

Une idée te vient en tête lorsque tu pars vers le chapitre 43.

101

Vous cherchez pendant des heures. Impossible de trouver cette foutue fourchette. Le soleil va bientôt se lever. Si au moins ce shérif de malheur ne vous avait pas dépouillés de vos effets personnels ! Tu aurais pu activer la montre-bracelet et retourner au carrefour des SPIRALES DU TEMPS.

Dehors, des bruits de sabots résonnent dans la nuit.

« OH NON ! dit Marjorie d'une voix atone. Les gens de la ville se sont révoltés et sont venus nous lyncher. »

Tu te hisses à la fenêtre et aperçois dehors Jérémy Jackson et toute sa bande. Il est venu te proposer un étrange marché.

« J'ai besoin de jeunes recrues, te dit-il en crachant un gros glaviot par terre. Si vous acceptez de faire partie de ma bande, je vous libère... »

Si tu acceptes, rends-toi au chapitre 17.
Si tu ne veux rien savoir de ce bandit, va au chapitre 19.

« Il y a un tronc d'arbre sur les rails, dis-tu à tes amis. C'est une embuscade des Indiens. Ils détestent les trains parce qu'ils font fuir les hordes de bisons. Ce sont de grands chevaux d'acier qui courent dans la prairie, comme ils les appellent. »

Vous cherchez vite une solution. Foncer à toute vitesse sur le gros arbre ? Pas question ! Vous risqueriez de dérailler.

Au loin, Jean-Christophe aperçoit un long nuage de poussière. C'est un régiment de cavalerie. SUPER ! Mais comment les avertir que vous êtes sur le point de vous faire scalper par des Sioux aux peintures de guerre ?

Marjorie aperçoit la corde du sifflet à vapeur de la locomotive. Elle tire et ne lâche pas la corde.

OOOOOOOUUUUUUUUUUUU !

Le régiment change de direction et vous intercepte à un kilomètre avant le tronc d'arbre. Tu te remets à respirer normalement jusqu'à ce que le général George Croustad vous mette tous les trois en état d'arrestation. Tu cherches à comprendre ce qui se passe.

Un sous-officier déroule sous vos yeux une affiche, au chapitre 53.

103

Ton yo-yo d'aventurier frappe de plein fouet la balle du colt. Le projectile dévie et va briser l'une des vitres de l'hôtel, **CRING !** Abasourdi, le cow-boy te regarde et vide ensuite son chargeur. Vif comme l'éclair, tu refais cinq fois le même geste et réussis à faire dévier les balles qui sifflent de partout.

Tu rattrapes ton yo-yo et tout redevient silencieux. C'est au tour du cow-boy de trembler de peur. Tu lances une autre fois ton yo-yo dans sa direction. Le cow-boy met ses deux mains devant ses yeux. Ton yo-yo frappe la boucle de sa ceinture **CLING !** Son pantalon glisse sur ses jambes, et le cow-boy, humilié, disparaît au bout de la rue sous les rires des gens de la ville surgissant de partout. Tu souffles sur ton yo-yo avant de le remettre dans ta poche, comme les vrais cow-boys font avec leur arme après un duel... GAGNÉ ! Arrive en courant Marjorie...

« Je ne savais pas que tu pouvais faire cela, te dit-elle, impressionnée.

— Moi non plus ! » lui réponds-tu en souriant.

Sans le savoir, tu as débarrassé la ville du très redouté bandit Jérémy Jackson.

Comme marque d'appréciation, le forgeron, un homme très habile de ses mains, réussit à réparer la montre-bracelet. Vous repartez vers le chapitre 4.

104

Une salle pleine d'ordis, et pas une seule disquette comme celle-ci ? IMPOSSIBLE ! Cherche bien, il y en a une, c'est certain...

Si tu réussis à la trouver, rends-toi au chapitre 50.
Si, par contre, tu ne la trouves nulle part, va au chapitre 9.

105

« Il ne faut pas se décourager, vous dit Jean-Christophe. Dans cette ville, il y a certainement un bricoleur qui pourra nous aider. »

Sur le fronton de l'édifice en bois, de l'autre côté de la rue, est écrit « Saloon ». Vous vous dirigez dans cette direction. Marjorie pousse les deux petites portes battantes, qui s'ouvrent en grinçant de façon sinistre. Autour d'une table ronde, ripaillent quelques cow-boys enivrés de whisky. Derrière son comptoir, le barman vous regarde, tout hébété. Est-ce vos vêtements bizarres qui le mettent dans cet état ou est-ce le fait que ce tripot ne reçoive pas souvent la visite d'aussi jeunes gens ?

« Tiens, tiens, se met à rire l'un des cow-boys. HA ! HA ! Le cirque est arrivé en ville. Vous êtes dresseurs de lions ? Vous faites, HIC ! partie de la troupe de clowns... HA ! HAAA !

— Sachez que nous sommes la bande des Téméraires de l'horreur, lui réponds-tu d'une façon plutôt insolante. Nous venons du futur et nous...

— DU FUTUR ! t'interrompt le cow-boy. Je ne connais aucune ville nommée Futur. Et puis cette ville-ci est trop petite pour nos DEUX BANDES... »

Sous la menace de son colt argenté, il te pousse à l'extérieur, au chapitre 68, pour te provoquer en duel...

106

« Oui, d'accord, mais avec quel argent ? te demande Marjorie.

— AVEC ÇA ! lui montres-tu en soulevant le bras de Karine sous les yeux du brocanteur. Des bracelets d'or ornés de lapis-lazulis et de turquoises. Ces trésors contre... VOTRE TRÉSOR... »

Le brocanteur examine avec sa vieille loupe les bijoux sous une lampe. Ses yeux s'illuminent devant la beauté des pierres précieuses.

« C'est un marché conclu si vous y ajoutez ce vieux marteau rouillé, précises-tu. La montre-bracelet et le marteau contre ces bijoux.

— TOPE LÀ ! fait le brocanteur en te serrant la main.

— Pourquoi achètes-tu aussi ce marteau rouillé ? te demande Marjorie. Je ne comprends pas.

— Parce que, vois-tu, lui expliques-tu en frappant la montre avec le marteau, CRING ! de cette façon, CRING ! je suis persuadé que cette montre à voyager dans le temps ne causera jamais plus de problèmes à personne.

CRING ! CRING ! CRING !

FÉLICITATIONS !
Tu as réussi à terminer...
C'est arrivé... DEMAIN !

Nº13 C'EST ARRIVÉ... DEMAIN !

Le brocanteur vous avait pourtant prévenus : cette mystérieuse montre avec les aiguilles qui tournent à l'envers est diabolique... N'Y TOUCHEZ PAS ! Son tic tac peut vous propulser des millions d'années dans le temps. Mais c'était plus fort que toi... TU L'AS REMONTÉE ! Maintenant, à cause de ta gaffe, Marjorie, Jean-Christophe et toi, vous êtes obligés de porter des fourrures et de chasser le mammouth pour survivre. Dire que tout ça est arrivé à cause d'une chose que tu vas faire... DANS 42 000 mille ans !

UN LIVRE PALPITANT QUI SE JOUE À LA FAÇON D'UN JEU VIDÉO...

Oui, ce livre n'est pas qu'un simple livre... C'EST TON AVENTURE ! Et dans ton aventure, c'est toi qui décides du déroulement de l'histoire. ATTENTION ! Ce livre contient aussi un jeu original qui pourrait transformer ton histoire en vrai cauchemar... LE JEU DES PAGES DU DESTIN !

Il y a 17 façons de finir cette aventure, mais seulement une finale te permet de vraiment terminer... *C'EST ARRIVÉ... DEMAIN !*

LIRA BIEN QUI LIRA LE DERNIER...

www.boomerangjeunesse.com
info@boomerangjeunesse.com

VOTRE PASSEPEUR

POUR UN HORRIBLE CAUCHEMAR

UN LIVRE QUI SE JOUE AVEC LES PAGES DU DESTIN

NO 25

LES CHÂTEAUX DE MALVENUE

LES CHÂTEAUX
DE MALVENUE

EN PLUS !
DES PETITES
HISTOIRES
TERRIFIANTES...
AVEC DES
PHOTOS !!!

LES CHÂTEAUX
DE MALVENUE

**Texte et illustrations
de
Richard Petit**

TOI!

Tu fais maintenant partie de la bande des
TÉMÉRAIRES DE L'HORREUR.

OUI ! Et c'est toi qui as le rôle principal dans ce livre où tu auras bien plus à faire que tout simplement... LIRE. En effet, tu devras déterminer toi-même le dénouement de l'histoire en choisissant les numéros des chapitres suggérés afin, peut-être, d'éviter de basculer dans des pièges terribles ou de rencontrer des monstres horrifiants.

Aussi, au cours de ton aventure, lorsque tu feras face à certains dangers, tu auras à jouer au jeu des **PAGES DU DESTIN...** Je t'explique. Si dans ton aventure tu es poursuivi par un monstre dangereux et qu'il t'est demandé de TOURNER LES PAGES DU DESTIN afin de savoir si ce monstre va t'attraper ou non, la première chose que tu dois faire, c'est de placer un signet à la page où tu es rendu, car tu auras à y revenir. Ensuite, SANS REGARDER, tu fais glisser ton pouce sur le côté de ton Passepeur en faisant tourner les feuilles rapidement pour t'arrêter AU HASARD sur l'une d'elles.

Maintenant, regarde au bas de la page de droite. Tu vois plusieurs petits pictogrammes. Pour savoir si le monstre t'a attrapé, il n'y en a que deux qui te concernent : celui de l'espadrille et celui de la main. Pour le moment, tu ne t'occupes pas des autres. Ils te serviront dans d'autres situations que je t'expliquerai un peu plus loin.

Alors, comme tu as remarqué, il y a une espadrille sur une page, et une main sur la suivante, et ainsi de suite jusqu'à la fin du livre. Si tu es chanceux, et que, en tournant les pages du destin, tu t'arrêtes au hasard sur le pictogramme de l'espadrille, eh bien, tu as réussi à t'enfuir. Là, tu retournes à la page où tu étais rendu pour connaître le chapitre où tu dois aller pour fuir le monstre. Si tu es malchanceux et que tu t'arrêtes sur le pictogramme de la main, eh bien, le monstre t'a attrapé ; là encore, tu reviens à la page où tu étais rendu pour connaître le chapitre où tu tomberas entre les griffes du monstre.

Lorsqu'on te demandera de TOURNER LES PAGES DU DESTIN, tu n'utiliseras, selon le cas, que les DEUX pictogrammes qui concernent l'évènement. Voici les autres pictogrammes et leur signification...

Pour déterminer si une porte est verrouillée ou non :

 Si tu tombes sur ce pictogramme-ci, cela signifie qu'elle est verrouillée ;

 si tu t'arrêtes sur celui-là, cela signifie qu'elle est déverrouillée.

S'il y a un monstre qui regarde dans ta direction :

 Ce pictogramme veut dire qu'il t'a vu ;

 celui-là veut dire qu'il ne t'a pas vu.

En plus, pour te débarrasser des vampires que vous allez rencontrer tout au long de cette aventure, tu pourras utiliser des petits ballons remplis d'eau bénite. Cependant, pour atteindre avec ces ballons les vampires qui t'attaquent, tu auras à faire preuve d'une grande adresse au jeu des pages du destin. Comment ? C'est simple. Regarde au bas des pages de gauche : tu y vois un vampire et le ballon que tu as lancé.

Le vampire représente tous les vampires que tu vas rencontrer dans ton aventure. Plus tu t'approches du centre du livre, plus le ballon se rapproche du vampire. Lorsque, dans ton aventure, tu fais face à un vampire et qu'il t'est demandé d'essayer de l'atteindre avec un de tes ballons pour l'éliminer, il te suffit de tourner rapidement les pages de ton Passepeur en essayant de t'arrêter juste au milieu du livre. Si tu réussis à t'arrêter sur une des cinq pages centrales du livre portant cette image,

eh bien, bravo ! Tu as visé juste et tu as réussi à atteindre de plein fouet le vampire et, de ce fait, à t'en débarrasser. Tu n'as plus qu'à suivre les instructions au chapitre où tu étais rendu, selon que tu l'as touché ou non.

Ta terrifiante aventure débute au chapitre 1. Et n'oublie pas : une seule fin te permet de terminer... *LES CHÂTEAUX DE MALVENUE.*

1

Sombreville. Le soleil est sur le point de se coucher sur ta ville. Habituellement, surtout le soir venu, les gens préfèrent demeurer chez eux, portes et fenêtres bien verrouillées. Mais ce soir, c'est très différent : ça grouille de monde au port de la baie !

Impossible de te frayer un chemin entre les centaines de badauds qui étirent le cou en direction de la mer. Ces adultes sont trop grands, et toi, tu ne peux y voir absolument rien. Qu'est-ce qui se passe ? Tu veux savoir...

CURIOSITÉ OBLIGE ! Tu te jettes à quatre pattes et tu te faufiles jusqu'au long quai de bois. Là, tous les dignitaires de la ville sont réunis pour accueillir un curieux cortège de visiteurs importants qui débarquent.

Immobile dans la foule, tu observes les cinq silhouettes vêtues d'une soutane noire, la tête cachée, qui marchent sur le quai. Les cinq visiteurs s'arrêtent devant le maire. Celui-ci tend la main d'une façon amicale. Une main blanche aux ongles très longs sort lentement d'une manche. Le maire sursaute lorsqu'il touche à cette main, terriblement... FROIDE !

Va au chapitre 45.

2

Tu prends les deux pièces et tu les attaches ensemble avec du fil.

— Est-ce qu'il faut prononcer une parole magique ? demande Marjorie. Genre « abracadabra » ou « témochétusentrèsmauvaidespieds » ?

— Non ! lui réponds-tu en ramassant une longue aiguille. Seulement ça...

— Comment allons-nous savoir si le sortilège a fonctionné ? t'interroge Jean-Christophe à son tour.

— C'est très simple. Si ça marche, les vampires vont gueuler à faire vibrer tous les murs des châteaux de Malvenue.

L'aiguille entre ton pouce et ton index, tu l'enfonces dans le torse de la poupée. Attentifs, vous écoutez...

RIEN !

Tu piques plusieurs fois la poupée à différents endroits, mais toujours rien.

Soudain, sous vos pieds, des trous viennent de s'ouvrir, et la baraque s'enfonce rapidement dans la boue vaseuse. Tu essaies de marcher, mais c'est malheureusement pour tes amis et toi...

LA FIN

Attrapés, vous êtes tous les trois tirés dans l'ouverture du foyer jusqu'à un sombre cachot dans les profondeurs du château.

Une grille très rouillée, mais malheureusement encore très solide, vous retient prisonniers dans cette pièce étroite dont le sol est jonché d'os et de crânes. Avec un dégoûtant tibia, tu réussis à faire bouger une pierre et à dégager une ouverture dans le mur. Vous rampez tous les trois dans l'étroit tronçon d'un passage qui débouche sur une cuisine abandonnée depuis des siècles.

Des blattes courent sur des restes plus que centenaires de bouffe oubliée sur la table. Tu as faim, mais il n'est pas question de manger ces trucs pourris.

Comme tu traverses la pièce, une vive douleur te tord l'estomac. Qu'est-ce que ces fantômes t'ont fait ?

Dans une marmite, des insectes pataugent dans une sorte de glu répugnante. OUPS ! c'est bizarre, ta main se dirige vers la marmite. Tu veux l'arrêter, mais tu n'as plus aucun contrôle sur tes muscles. Ce n'est plus toi qui décides, on dirait.

Tes doigts saisissent une grosse larve blanche et la portent à ta bouche...
POOOUUUAAAH !

FIN

Les cinq châteaux lugubres se dressent sur la baie.

Rends-toi au chapitre inscrit près du château où tu veux aller...

5

Alors que vous vous apprêtez à déguerpir, Cerbère inspire un grand coup et souffle sur la porte, qui, derrière vous, se referme violemment...

BAAANG !

Il avance lentement vers vous avec ses trois mâchoires proéminentes garnies d'incisives tranchantes. Tu aperçois des armes accrochées au mur. Tu donnes un coup de coude à Jean-Christophe. À la dernière seconde, vous vous projetez vers le mur et vous saisissez respectivement une lance, une massue pourvue de pics et une hache de combat. Trois armes contre trois têtes super laides...

VOILÀ QUI EST ÉQUITABLE...

Le chien mutant continue d'avancer. Vous pointez tous les trois vos armes dans sa direction. Il s'arrête, et tout son corps se met à gonfler, gonfler... ET GONFLER !

Par crainte de vous retrouver couverts de sang et d'organes de son corps qui menace d'éclater à tout moment...

...vous tentez de vous éclipser par le grand escalier qui se trouve au chapitre 68.

Rends-toi au chapitre inscrit sur le passage que tu désires emprunter...

7

Vous reculez d'un pas, et les trois têtes de Cerbère crachent du feu comme un dragon de conte de fées. RAAAAAAAAAAAAAAAAA !

Vous vous jetez tous les trois par terre. Les flammes meurtrières passent à seulement quelques centimètres de ton dos. Cerbère inspire un grand coup. Tu te relèves, entraînant avec toi Marjorie vers un couloir. Jean-Christophe est toujours étendu de tout son long sur le plancher. ZUT !

Les trois têtes de Cerbère l'entourent. Recroquevillé sur lui-même, il attend d'être grillé comme un toast. Tu déposes ta massue, complètement inutile face à un tel monstre, et tu fouilles rapidement dans ton sac pour prendre un ballon d'eau bénite.

— CE N'EST PAS UN VAMPIRE ! te crie Marjorie, terrifiée. L'eau bénite ne peut rien contre lui...

Cerbère se prépare à cracher d'autres flammes, tu t'élances... Vas-tu réussir à l'atteindre ?

*Pour le savoir... **TOURNE LES PAGES DU DESTIN !***

Si tu réussis à l'atteindre, rends-toi au chapitre 81.
Si tu l'as complètement raté, va au chapitre 37.

8

BANG !

Jean-Christophe chute lourdement. Assommé, il gît inerte sur une colonne tout près de toi. Marjorie a eu de la chance, elle a réussi à trouver refuge sur le seuil d'une porte ouverte loin au fond du hall.

Juste sous tes pieds, des flammes jaillissent d'un tableau sur lequel est peint un volcan. Tu sens la chaleur, et tes espadrilles sont littéralement en train de cuire.

Tes doigts commencent à lâcher.

— MARJORIE, AIDE-MOI !

IMPOSSIBLE ! Il y a entre elle et toi l'immense plafonnier sur lequel brûlent des dizaines de chandelles.

Ton petit doigt de la main gauche vient de glisser sur la rampe. Maintenant, l'autre aussi. Tu voudrais bien prier, mais tes deux mains sont très occupées à te tenir en vie. Jean-Christophe revient à lui juste comme tous tes doigts lâchent la rampe. Il tend les mains vers toi. Va-t-il réussir à t'attraper ?

*Pour le savoir… **TOURNE LES PAGES DU DESTIN !***

S'il réussit à t'attraper, OUF ! rends-toi au chapitre 87.

Si par malheur il ne réussit pas à te saisir, va au chapitre 91.

Une série de passerelles macabres vous amènent à ce curieux château aux formes et aux couleurs étranges.

— C'est quoi, cet endroit ? demande Marjorie. Une usine qui fabrique des bonbons ?

La grande porte ne possède ni poignée ni serrure, mais un œil qui s'ouvre.

Vous vous écartez afin de vous cacher derrière une colonne. Est-ce que cet œil étrange vous a vus ?

Pour le savoir… TOURNE LES PAGES DU DESTIN !

S'il vous a vus, allez au chapitre 41.

Si vous avez réussi à vous cacher avant qu'il ne vous voie, rendez-vous au chapitre 83.

Rends-toi au chapitre inscrit sur le passage que tu désires emprunter...

11

— Je ne sais pas pourquoi nous avons choisi ce château en labyrinthe, cherche à comprendre Jean-Christophe. Nous allons encore nous perdre pendant une éternité, et peut-être même plus...

— GNA ! GNA ! espèce de grand braillard. Rappelle-toi, chaque fois que nous avons réussi à traverser un labyrinthe, nous avons trouvé un indice SUPER IMPORTANT !

— C'est vrai ! avoue Marjorie. En tout cas, lors de nos trois dernières aventures... C'ÉTAIT COMME ÇA !

— Ouais, peut-être, mais je me rappelle aussi avoir fait des rencontres pas très agréables, genre monstres laids et affamés...

— OK ! leur dis-tu. Nous allons faire super attention cette fois-ci.

Vous marchez sur la passerelle faite d'ossements blanchis par le temps. Devant vous s'élève très haut le curieux bâtiment en spirale. C'est le seul château qui ne possède pas de grandes portes de bois et de métal, car les dédales de ce labyrinthe suffisent à le protéger des intrus.

Vous vous rendez à l'entrée du labyrinthe au chapitre 6.

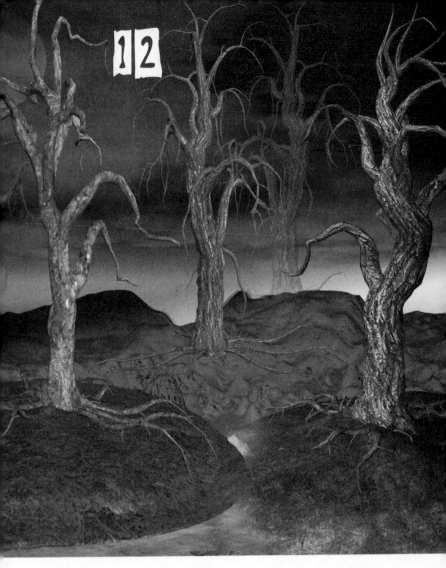

Observe bien ces arbres et ensuite rends-toi au chapitre 89.

13

— Je crois que nous allons avoir du renfort, annonces-tu à tes amis. Nous n'avons plus qu'à attendre qu'ils arrivent...

— Et les cinq princes vampires ? te rappelle Marjorie. Tu les as oubliés, eux ?

— Nous sommes en sécurité ici, lui réponds-tu. Barricadée de la sorte, il n'y a aucun monstre OU VAMPIRE qui peut enfoncer cette porte. Il faudrait des « monsieurs muscles » ou des « vampires muscles » dans ce cas-ci. Ça n'existe pas, ça, enfin je crois, n'est-ce pas Jean-Christophe ?

Ton ami hoche la tête...

— AH OUAIS ! J'avais oublié ce détail, toutes mes excuses.

— Ce n'est rien, absolument rien, lui dis-tu. Tu es mon amie, c'est complètement normal que je te pardonne, tu sais.

— Oui, mais moi, au contraire, ajoute Marjorie, je suis un peu, beaucoup incapable de te pardonner le fait que...

— Le fait que quoi ? cherches-tu à comprendre.

— Le fait que tu as oublié que les vampires... POUVAIENT VOLER !!!

Va au chapitre 48.

Le visage livide
et le regard fixe, le
cadavre coupé en
deux se rue sur vous…
Est-ce que ce monstre
sorti tout droit d'un cauchemar
va malheureusement réussir à
vous attraper ?

Pour le savoir… TOURNE LES PAGES DU DESTIN !

S'il réussit à vous attraper, va au chapitre 79.

Si vous parvenez à lui échapper, fuis en courant vers le chapitre 93.

15

Jean-Christophe te regarde…

— Qu'est-ce que tu en penses ? On ne peut pas rester là à ne rien faire.

— Mais ce sont des immortels, ces vampires ! objecte Marjorie. On risque d'y laisser notre peau, j'veux dire notre sang…

— C'est la même chose, lui réponds-tu. Tu perds ton sang, tu perds la vie aussi…

— Les vampires, nous connaissons, alors emportez le nécessaire, vous dit Jean-Christophe.

— Il nous faudrait de l'eau bénite, songes-tu. Dans des petits ballons, ça pourrait devenir des armes très efficaces. Je vais aller voir le curé Pierre-Léon, c'est un ami qui croit en nous, les Téméraires. Je vous rejoins dans trente minutes au quai…

— À PLUS ! te dit Marjorie, qui revient de la cuisine.

Elle se retourne vers son frère.

— Il n'y a plus d'ail dans le frigo, maman a pris tout ce qui restait pour faire son fameux spaghetti qui donne une haleine super puante…

— ZUT !

— Pas grave ! J'ai mis les restes dans un contenant de plastique. Le premier qui ose se présenter devant moi, je lui lance les nouilles en plein sur sa sale gueule de « mordeur-de-cou »…

L'aventure débute au chapitre 4.

Accrochée au plafond, une
jeune vampire bleue vous regarde
en se léchant les babines...

Tu attrapes un ballon d'eau bénite et tu
le lances de toutes tes forces. Vas-tu réussir à
l'atteindre ?

Pour le savoir... TOURNE LES PAGES DU DESTIN !

Si tu réussis à l'atteindre, BRAVO ! Rends-toi au
chapitre 35.

Cependant, si tu l'as complètement ratée, va au
chapitre 95.

BANG ! BANG ! BANG !

Jean-Christophe s'approche…

— Ne vous en faites pas, personne ne peut entrer ici avec le tas de meubles que vous avez placés devant la porte. Venez ! Nous avons une vue magnifique sur Sombreville.

En effet, c'est très beau, mais tu n'es pas ici pour faire du tourisme. Ce poste d'observation du château est doté de plusieurs leviers et d'une grande roue comme on en retrouve sur la passerelle de navigation des grands paquebots. Vous comprenez rapidement que ce sont ces commandes qui servent à déplacer les îles sur l'océan.

Tu colles un œil sur un long télescope doré pour observer la ville. Tu es très étonné de voir les maisons d'aussi près. Tu tournes le télescope pour examiner maintenant les autres îles. Dans le donjon du château voisin croupissent le maire et tous les dignitaires.

— ILS SONT TOUS VIVANTS ! t'écries-tu en les apercevant. REGARDEZ !

En prenant bien soin de ne pas déplacer le télescope, tu laisses tes amis regarder à leur tour.

Allez au chapitre 23.

18

Tu t'élances vers la sortie pour aller rapidement vers la branche tombée. Il y a des traces de pas par terre. Tu as vu juste, quelqu'un était ici il n'y a pas plus d'une minute...

Vous observez les alentours. Rien ! Personne !

Des pas qui s'éloignent se font soudain entendre. Vous cherchez partout. Toujours rien en vue...

— C'était quoi ça ? cherche à comprendre Marjorie. Un homme invisible ?

Jean-Christophe fait oui de la tête...

— Normal qu'un château invisible soit habité par une créature invisible aussi...

Les pas se dirigent maintenant vers vous. Paniqués, vous courez tous les trois dans toutes les directions...

Est-ce que cette chose qui est invisible va réussir à attraper l'un de vous ?

Pour le savoir... TOURNE LES PAGES DU DESTIN !

Si elle réussit, va au chapitre 30 pour découvrir QUI s'est fait prendre...

Si par contre la créature invisible n'attrape aucun d'entre vous, rends-toi au chapitre 49.

La tête à travers la fenêtre, tu vérifies s'il n'y a pas un monstre ou un vampire qui attend pour vous tendre un piège. NON ! Alors tu t'introduis dans le château avec tes amis.

Des torches allumées crépitent sur les murs. Un long couloir dans lequel courent des dizaines de rats débouche sur une grande bibliothèque de livres très anciens. La poussière, la moisissure et les toiles d'araignées sont maintenant les seules abonnées. Autrefois, cette salle devait être majestueuse.

Un panneau suspendu affiche un bien curieux texte.

ESTOUT LES SESPONRÉ
À ESTOUT LES TIONSQUES.

— Es-tu capable de comprendre quelque chose, toi ? demandes-tu à Jean-Christophe.

— Oui, mais c'est une langue morte depuis des siècles. Ça signifie : *toutes les réponses à toutes les questions.*

— Eh bien ! justement j'ai une question, dit alors Marjorie. DANS QUEL CHÂTEAU SONT EMPRISONNÉS LE MAIRE ET SES COLLABORATEURS ?

D'une tablette, une grande feuille s'envole tel un tapis magique et va se poser sur une table au chapitre 82.

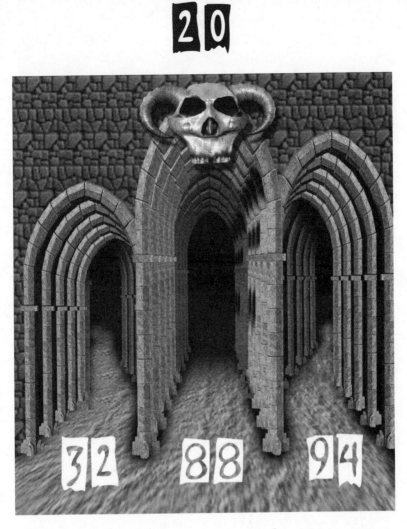

Rends-toi au chapitre inscrit sur le passage que tu désires emprunter...

21

OOOUUUUAAAH !

Tes amis s'approchent...

— QUOI ? demande Marjorie. Qu'est-ce qu'il y a ?

— Le-le ta-tableau ! essaies-tu difficilement de dire. Les yeux se sont ouverts...

Jean-Christophe examine la peinture.

— Ils sont fermés !

— J'te dis qu'ils se sont ouverts, je te le jure...

Marjorie s'approche et ne remarque rien d'anormal. Elle tente de décrocher le tableau, mais il est solidement cloué au mur.

— Ça, je dois l'admettre, c'est très bizarre...

Courageuse, elle s'approche. Le nez collé sur la toile, elle remarque que les paupières du personnage peint sur la toile ont été découpées. Elle pousse avec son index, et les deux paupières basculent, laissant entrevoir la pièce derrière le mur. Des torches éclairent un long couloir de pierres poussiéreuses.

— Je crois que tu as raison, te dit-elle avec une crainte croissante. Il y avait quelqu'un qui nous épiait...

Allez au chapitre 69.

22

OUI ! Une silhouette s'était dissimulée entre les arbres, mais lorsque vous arrivez dans la petite forêt... ELLE N'EST PLUS LÀ !

Tu cherches à connaître les raisons de sa présence ici. Vous cherchez tous les trois partout. Une pierre tombale solitaire attend de tomber en ruine et d'être oubliée...

— C'est peut-être de cette tombe que provenait la silhouette, songe Marjorie. Ça sent de plus en plus le fantôme, cette histoire.

— Elle a raison, dit alors son frère. Et si ce château n'était pas un château invisible, s'il s'agissait en fait d'un château... FANTÔME !

— IMPOSSIBLE ! leur précises-tu. Vous oubliez que, pour devenir un fantôme, il faut avant tout... MOURIR ! Un château, enfin je pense, ça ne peut pas mourir, ça s'écroule, c'est tout, et on n'en parle plus...

— Ah ouais! t'as raison, réfléchit Marjorie.

— Et aussi, ajoutes-tu, je crois qu'il y a, quelque part, un système électronique qui rend ce château transparent.

— Pourquoi tu dis cela ? demande Jean-Christophe.

— Parce que j'aperçois, entre les arbres là-bas, une petite lumière rouge qui clignote...

Au chapitre 54.

— Quel est le plan ? demande alors Marjorie. Nous ne sommes même pas dans le bon château...

Tu observes les commandes et tu réfléchis. Soudain, tes yeux s'agrandissent... D'HORREUR ! Non ! DE JOIE ! Car tu viens d'avoir une idée géniale...

Tu t'approches du poste de commande.

— BON ! Sans livre d'instructions, ça ne sera pas facile, mais je vais essayer quelque chose.

— Tu vas faire quoi là ? veut savoir Marjorie. Parce que nous sommes ensemble dans cette histoire et nous avons le droit d'être mis au courant.

— C'EST VRAIMENT SUPER ! Tu vas voir. Je crois qu'à partir d'ici je peux détacher l'île sur laquelle se trouve le donjon où tout le monde est enfermé. Alors je libère cette île et j'actionne les moteurs, ce qui aura pour résultat d'éloigner les îles de Sombreville. Du même coup, les princes vampires vont s'en rendre compte, ils viendront alors à nous, et nous n'aurons même pas à les chercher...

— OH ! WOW ! BRAVO ! Tu as trouvé une façon certaine et rapide de nous faire sucer le cou..., conclut Marjorie.

Rends-toi au chapitre 57.

Dirige-toi vers le chapitre...

25

ZUT ET DOUBLE ZUT !

— Est-ce que nous allons fouiller un autre château ? demande Marjorie. Celui-là est verrouillé…

— Crois-tu que les autres ne seront pas verrouil-
lés ? lui fais-tu penser.

— EUH !

— Ouais ! Euh ! Alors mieux vaut trouver une
façon d'entrer dans celui-ci si nous voulons y aller
méthodiquement.

Lampe de poche en main, tu fais le tour du château à la recherche d'une autre porte ou d'une
trappe cachée.

Dans un petit cimetière aux pierres tombales fis-
surées, un hibou aux grands yeux vous regarde.

Plus loin, complètement dans l'ombre, tu remarques un arbre tortueux. Il est ce qu'il y a de plus
mort, mais ses branches montent très haut dans le
ciel. Tu pointes ta lampe et découvres une fenêtre
aux vitraux brisés.

— Une longue branche s'étend directement vers
la fenêtre, montres-tu à tes amis. Il va falloir jouer
les funambules, mais je crois que nous pouvons y
arriver…

Tu escalades l'arbre jusqu'au chapitre 38.

Ses deux longues canines pointées vers toi, il plonge. Sans ballon ni spaghetti à l'ail, tu sais très bien que vous ne pouvez rien tenter.

Soudain...

BRAAAOOUUMMM !

Un coup d'artillerie retentit du destroyer. Tu lèves la tête. Un gigantesque obus orange arrive à toute vitesse vers vous.

— NON MAIS, ILS SONT FOUS ! Ils nous tirent dessus...

Tu t'assois par terre et tu te bouches les oreilles. À l'instant où le vampire atterrit près de toi, l'obus orange frappe le sommet de la tour et...

SPLAAAAAACH !

Devant toi, le vampire fond comme de la crème glacée au soleil.

SPLOUUUUURB !

La tour est encore intacte, mais pourquoi êtes-vous tous les trois... TREMPÉS JUSQU'AUX OS ?

— L'OBUS ! s'exclame Jean-Christophe. C'était un gigantesque ballon d'eau bénite...

Tout à coup, toute l'île se met à pencher dangereusement...

Va vite au chapitre 100.

Marjorie vous tend la main. Tu la saisis pour enjamber le grand plafonnier. ATTENTION ! Il y a de la cire et de l'eau partout, c'est très glissant...

Dans l'autre salle du château, cinq fauteuils poussiéreux sont placés dos à dos sur une estrade. Vous montez les quelques marches pour les examiner.

— Cinq fauteuils pour les cinq princes vampires, en déduit Marjorie. Vous avez remarqué ?

— C'est ici qu'ils se réunissent ? se demande Jean-Christophe.

— Ils ne peuvent pas discuter avec les fauteuils placés comme ça, lui fais-tu remarquer. Cet endroit sert à autre chose.

Tu fouilles partout. Par terre, tu remarques des chauves-souris mortes. Sur leur carcasse desséchée, il y a deux trous...

POUAH !

Jean-Christophe découvre, sous le bras d'un fauteuil, une petite porte derrière laquelle se trouve un bouton en bois. Il s'assoit et remarque une énorme ouverture dans le plafond.

— J'AI TROUVÉ ! s'exclame-t-il...

Va au chapitre 63.

28

10

Marche jusqu'au chapitre...

— Où est ton frère Jean-Christophe ?

— IL N'Y A ABSOLUMENT RIEN SUR INTERNET ! hurle celui-ci dans l'autre pièce.

Avec Marjorie, tu accours...

— QUOI ? veut comprendre sa sœur. Il n'y a aucune page sur Internet qui parle d'îles flottantes ?

— Oui, mais tout ce que j'ai pu trouver, c'est qu'une île flottante est un grand classique de la cuisine française. Il paraît que c'est la joie des petits comme des grands. En somme, c'est un dessert...

— Mais ce n'est pas possible, s'étonne Marjorie.

— J'te dis que j'ai tout essayé...

— Essayons autre chose ! proposes-tu. Pour commencer, rends-toi sur le site de l'*Encyclopédie noire.*

— Voilà ! fait aussitôt Jean-Christophe. Ensuite ?

— J'ai remarqué qu'il y avait cinq châteaux en tout, et cinq vampires. Tape : *cinq vampires...*

CLAC ! CLAC ! CLAC ! CLAC !

À l'écran apparaît rapidement l'image d'un vieux manuscrit...

— OYÉ ! Mettez les freins et stoppez le train, s'exclame Marjorie. Nous avons trouvé...

Va au chapitre 66.

30

OH NON ! C'est toi qu'elle a attrapé…

Tu essaies de te débattre, mais comment combattre quelque chose que tu ne vois pas ?

Tu te fais traîner sur des dizaines de mètres jusqu'à une grotte cachée dans une forêt. À l'intérieur, tu es tout étonné de voir des murs métalliques. La créature lâche ta jambe, et tu te relèves tout de suite. Sur le mur, un bouton s'enfonce tout seul. Non, c'est cette créature invisible qui vient d'appuyer dessus…

Devant toi, la créature, un peu semblable à tous les humains de la Terre, se matérialise sous tes yeux.

Tu te dis que BON ! maintenant c'est vraiment terminé. Cet extraterrestre va procéder à toutes sortes d'expériences sur moi, et je vais finir en pièces détachées, dans des bocaux exposés dans une université martienne quelque part dans une galaxie éloignée…

MAIS…

— N'aie pas peur, je ne te ferai aucun mal, te dit-elle. Je sais que je n'ai pas le droit d'intervenir, mais tu es ma vedette préférée, et je ne pouvais pas supporter de te voir périr dans cette histoire.

— QUOI ? VEDETTE PRÉFÉRÉE !

Qu'est-ce qui se passe ? Réponse au chapitre 50.

Intéressante, cette île, avec seulement l'ombre d'un château. Tu sais par expérience que c'est souvent dans ce genre d'endroit que vous découvrez des choses... TRÈS ÉTRANGES !

La passerelle constituée d'ossements vous dépose sur l'île comme une grande main. Tu cherches dans le vide, certain qu'il y a quelque chose sur cette île qui semble pourtant déserte. Tu avances, et TOC ! ta tête percute un mur solide mais complètement transparent...

— Il y a aussi un château ici-même sur cette île, informes-tu tes amis en te frottant la tête. Un château... INVISIBLE !

— INVISIBLE ? veut comprendre Marjorie. Comment allons-nous faire pour le visiter si nous ne pouvons pas le voir ?...

— Avec beaucoup de patience, lui dit son frère.

À tâtons, vous parvenez à trouver la porte... Est-elle verrouillée ?

Pour le savoir... TOURNE LES PAGES DU DESTIN !

Si elle s'ouvre, va au chapitre 90.

Si par contre elle est verrouillée, rends-toi au chapitre 61.

Marche jusqu'au chapitre...

Comme si vous étiez habillés de vêtements qui rendent invisibles, vous parvenez à traverser discrètement la passerelle jusqu'à la fenêtre d'un cachot.

— PSSST ! fais-tu, la tête entre les barreaux. Monsieur le maire !

Dans le cachot, le maire sourit et vient vers toi.

— Vous êtes parvenus jusqu'ici sans vous faire prendre ? s'étonne-t-il. Vous devez alerter les policiers… L'ARMÉE ! Non, mais, vous avez vu ces monstres ? Ce n'est pas du cinéma, ils sont bien réels, ces vampires… DE VRAIS VAMPIRES ASSOIFFÉS DE SANG !

— Calmez-vous ! Vous allez finir par attirer l'attention !

Le maire reprend son souffle…

— Impossible de vous sortir d'ici, l'endroit est trop bien gardé. Il faut trouver une autre solution, l'informe Jean-Christophe.

— Je les ai entendus parler tantôt, vous raconte le maire. C'est dans le plus petit château de Malvenue que se trouve le poste de commande de tous les châteaux.

— ET TOC ! dis-tu au maire, le visage éclairé par un sourire. Ne vous faites pas de souci, nous allons vous libérer…

Avec cet indice important, vous repartez vers le chapitre 4…

20 **94**

Choisis un passage...

35

Lorsque le ballon éclate, l'eau bénite couvre la vampire et durcit tout de suite. Toujours vivante, mais complètement collée au plafond dans la glace, la vampire hurle « **RUUUUUIIIIIII** ! ».

Tu ouvres la porte, et vous sortez dans le couloir. »

— Ce n'est vraiment pas de chance, dit Jean-Christophe. Les ballons d'eau bénite sont tout à fait inefficaces dans ce château. ILS GÈLENT ! ! »

— Suggères-tu de quitter au plus vite cet endroit ? lui demandes-tu.

— Ce n'est pas une suggestion, c'est une obligation, et ça urge…

Marjorie descend quelques marches, mais tu l'arrêtes.

— PAS PAR LÀ ! Tu oublies les fantômes…

Vous montez donc l'escalier et fouillez le château à la recherche d'une autre sortie. RIEN ! Complètement en haut de la plus haute tour, vous réfléchissez tous les trois. Tes doigts sont presque gelés.

— J'AI TROUVÉ ! s'exclame soudain Marjorie.

Elle prend plusieurs ballons, les transperce avec ses dents, puis fait couler l'eau dans le vide par une fenêtre. L'eau gèle immédiatement et forme un cylindre de glace… JUSQU'AU SOL !

Vous glissez tous les trois comme des pompiers jusqu'au chapitre 4…

36

Par un miracle incroyable, il y eut des survivants : les cinq princes, quelques femmes et plusieurs enfants. Mais dans leur château respectif, sur leur petite île flottante, le sang se faisait rare... TRÈS RARE !

En seulement quelques semaines, les princes, devenus très cruels ont décimé, à coups de longues canines, la population de femmes et d'enfants. Maintenant, seuls, isolés, ils dérivaient au gré des marées et de la houle qui, heureusement pour eux, les amenèrent sur des rivages où ils trouvèrent une nourriture abondante... DES HOMMES !

Le soleil chauffait leur peau. L'immortalité était peut-être leur seul réconfort. Une nuit, sur la mer noire, le destin a fait que les îles des cinq princes se rencontrèrent. Ils ont convenu de faire la paix, de ne pas s'embarquer dans une autre guerre vaine. Ils ont donc fait le pacte des châteaux de Malvenue, le pacte de conquérir ENSEMBLE le monde. Les cinq îles reliées les unes aux autres par de longues chaînes sont parties en ces temps-là... À LA CONQUÊTE DE LA PLANÈTE !

Va au chapitre 15.

RATÉ ! Le ballon va s'écraser sur le mur.

L'eau coule sur le mur et ensuite sur le plancher. Cerbère retient son souffle et se met à trembler. Il est comme effrayé…

Tu cherches à comprendre pourquoi. L'eau, lentement, s'approche de lui. Il recule. Tu comprends alors que toutes les créatures vivant dans les flammes de l'enfer ont comme une allergie chronique… À L'EAU ! L'eau les fait tousser à en perdre… LEUR NEZ ! Ce n'est pas très joli à voir…

Cerbère recule encore. Tu en profites pour tirer Jean-Christophe vers toi. Marjorie réussit à ouvrir la porte d'entrée. Dehors règne un silence surnaturel. Les vagues de la baie se sont tues. Le ciel est rouge… Tu sais parfaitement ce que ça veut dire : en ce moment même… DES VAMPIRES BOIVENT DU SANG !

Il est trop tard pour le maire et ses collaborateurs.

Une clameur brise soudain le silence. Sur l'île voisine, des dizaines de personnes au cou ensanglanté et aux canines pointues s'apprêtent à lancer un assaut sur la ville. C'EST LE MAIRE ! Il est devenu buveur de sang…

Avez-vous la moindre chance contre cette armée ?… NON !

Crois-tu être capable de marcher sur cette branche sans tomber ? Pour le savoir, mets un signet à ce chapitre, ferme ton livre et dépose-le debout dans ta main...

Si tu es capable de faire trois pas devant toi sans que ton livre tombe, BRAVO ! Tu as réussi à te rendre jusqu'à la fenêtre. Entre dans le château par le chapitre 19.

Si par contre ton livre est tombé par terre avant que tu aies pu faire les trois pas, tu chutes avec tes amis au chapitre 75.

Vu que les douves sont glacées, vous décidez d'y descendre pour inspecter l'endroit. Il y a peut-être une entrée, cachée…

Vous patinez sur la glace et découvrez une caverne. Vous y pénétrez sans hésiter. Le passage se rétrécit pour se transformer en un long tube sinueux. Les parois brillent de glace. Lorsque vous émergez du passage, vous vous retrouvez dans une galerie bordée par des dizaines de grosses colonnes. Tandis que vous explorez l'endroit, un hurlement à faire dresser les cheveux sur la tête retentit…

OUUUURRRAAAAAA !

Ça tombe très mal ! Vous vous trouvez en plein centre de la caverne, là où il n'y a malheureusement pas d'endroit pour vous cacher.

OUUUURRRAAAAAA !

Encore ce cri. Mais qui peut bien essayer de vous effrayer de la sorte ? À tes pieds, tu aperçois une ridicule petite créature haute de deux centimètres à peine. Elle ouvre la bouche et…

OUUUURRRAAAAAA !

Marjorie pouffe de rire…

— Comme elle est jolie ! Je peux la garder ?

La petite créature ouvre encore plus grand la bouche…

41

L'iris de l'œil grandit… IL VOUS A APERÇUS !

La porte s'ouvre avec fracas, **BRAAAAAAAAM !** et vous êtes tous les trois aspirés à l'intérieur par une puissante tornade.

Derrière vous, la porte se referme, **BLAM !** et tout se calme. Debout près de tes amis, tu te sens encore tout étourdi. Lorsque tu recouvres tes sens, tu découvres autour de toi des objets assez inquiétants ayant appartenu à un magicien.

Sur une table trône un chapeau haut-de-forme dans lequel se trouvent les restes squelettiques d'un lapin.

POUAH !

Une cape noire couverte de poussière pend sur une patère. Sur le mur du fond sont accrochés des anneaux truqués, une baguette magique, des mouchoirs et des cordes à nœuds. Tu vois aussi une tablette pleine de bocaux remplis de poudre colorée. Des ingrédients pour pratiquer la magie sans doute…

Dans un coin, plusieurs épées sont plantées dans une grande caisse de bois peinte d'arabesques. Tu te rappelles ce fameux truc que l'on peut encore voir dans les foires…

Tu t'approches de la boîte au chapitre 72 pour regarder s'il n'y a pas à l'intérieur…

Tu ravales bruyamment ta salive en t'approchant plus près du tableau.

Va au chapitre 84.

Vous lancez tout votre stock de ballons remplis d'eau bénite.

BRAOOOUMMM ! BRAAAAAMM !

Deux vampires ont été atteints et sont disparus dans une explosion de poussière. Il n'en reste que trois.

OUI ! c'est maintenant trois contre trois, mais tu sens que le combat est encore injuste, très injuste. Un vampire fonce directement sur toi. Tu attrapes la roue du gouvernail, et les quatre îles tanguent et s'entrechoquent dans un grand fracas.

BRAOOOUUUUUMMM !

Une vieille tour fragile s'effondre, et le poids des pierres emporte dans les abîmes de la mer un autre vampire. Ils ne sont plus que deux. Ils disparaissent dans les nuages, sans doute pour mieux attaquer.

Au loin, Marjorie aperçoit les lumières d'un navire…

— UN DESTROYER ! vous montre-t-elle avec son doigt. Le maire a envoyé la marine !

Un grand coup de vent survient, et un vampire attrape son bras et la soulève…

— AAAAAAAAAAAAHHHH !

Allez au chapitre 97.

Comme vous êtes braves, vous avez décidé de prendre le taureau par les cornes, ou plutôt de prendre le monstre par les pustules. Attaquer le plus grand château, voilà ce que tout bon chasseur de fantômes ferait...

La passerelle constituée d'ossements craque sous chacun de vos pas. L'île flottante sur laquelle a été érigé le château est constituée de roc solide. Vous n'avez donc pas à vous soucier de voir surgir des zombies d'un quelconque cimetière.

Un sentier éclairé par des torches conduit à une grande porte. Frapper avant d'entrer ? JAMAIS ! Il n'est absolument pas question d'annoncer votre arrivée à ces buveurs de sang insatiables.

Tu colles une oreille sur la porte...

— C'est beau ! Nous pouvons y aller...

Tu tires le loquet et tu pousses la porte. PAR-FAIT ! c'est ouvert...

Ce n'est que lorsque tu ouvres la porte complètement que tu découvres...

... au chapitre 96.

Soudain, un doute horrible t'envahit...

Tu recules et parviens à atteindre le rivage de la baie. Au bout du quai, aucun bateau n'est amarré... BIZARRE ! Il fait sombre, au loin tu n'y vois rien. Dans le ciel, un nuage s'écarte lentement et laisse apparaître la lune. Elle jette alors sa faible lumière sur toute la baie. Tu tombes presque à la renverse lorsque tu aperçois des îles flottantes sur lesquelles se dressent cinq très lugubres châteaux...

Tu lances un regard affolé vers le quai. Tous les dignitaires de Sombreville se dirigent vers une longue passerelle faite avec des ossements.

— NON, CE N'EST PAS POSSIBLE ! Ils vont se jeter en plein dans la gueule des... VAMPIRES !

Tu fonces vers le quai, mais tu es aussitôt stoppé par les deux gardes du corps du maire.

— IL FAUT À TOUT PRIX QUE JE PARLE À MONSIEUR LE MAIRE ! hurles-tu, immobilisé. C'EST UNE QUESTION DE VIE OU DE MORT !

Rends-toi au chapitre 99.

Examine attentivement le grand bouquin des sortilèges vaudou et ensuite rends-toi au chapitre 59.

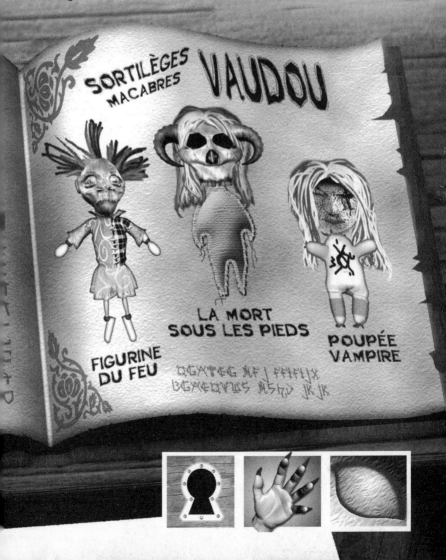

SORTILÈGES MACABRES **VAUDOU**

FIGURINE DU FEU

LA MORT SOUS LES PIEDS

POUPÉE VAMPIRE

47

Tu refermes tout de suite la porte de la boîte devant cette horreur.

Sur un autre mur sont exposés toutes sortes de tableaux aux sujets étranges. Vous osez vous en approcher. La plus grande toile représente un homme à deux têtes ; un homme plus petit lui montre un enfant avec une peau de lézard. Sur un autre tableau est peint un homme-crabe. Il possède de grandes pinces à la place des mains.

Ton regard est soudain attiré par une autre boîte posée à l'horizontale. Elle a été coupée en deux parties, sans doute avec une scie. Ce tour-là, tu le connais aussi... Juste comme tu te dis qu'il n'est pas question d'ouvrir cette boîte-là, le couvercle est agité de soubresauts.

Vous vous mettez à reculer tous les trois lorsque vous apercevez une main qui soulève le couvercle. Lentement, le tronc d'un cadavre coupé en deux s'assoit dans la boîte et se tourne vers vous, pendant que des jambes font sauter le couvercle de l'autre boîte et en descendent d'une manière lugubre...

Allez au chapitre 14.

Au pied de la tour surgissent de grandes créatures
ailées.

Allez au chapitre 43.

Vous filez comme des fusées en direction de la passe-relle pour finalement parvenir au quai. Les deux mains sur les hanches, tu reprends ton souffle.

Téméraires comme ce n'est pas permis, vous retournez sur l'île. BON ! La créature semble être partie. Vous retournez à l'intérieur du château invisible. À genoux, tu parviens à trouver une trappe sur le plancher et tu l'ouvres sans hésiter. Un escalier, VISIBLE cette fois-ci, vous permet d'explorer les profondeurs du château.

Vous descendez. Des murs de pierres bien solides ont fait place aux murs transparents. Ton instinct te dit que tu vas trouver quelque chose de très important.

Beaucoup plus bas, dans une salle circulaire, une grande statue pointe vers un mur sur lequel il n'y a ABSOLUMENT rien. En poussant très fort, Jean-Christophe réussit à le faire pivoter. Il y a de la poussière partout. Ton cœur bat très vite. Que peut bien cacher ce château invisible, au plus profond de son sous-sol, der-rière le mur d'une salle secrète ?

— Quelqu'un veut un soda ? vous demande Jean-Christophe. Ce n'est que le distributeur de boissons gazeuses des vampires…

FIN

50

— Je viens du futur, de ton futur, t'explique la créature. Je suis un humain de la Terre, tout comme toi. Des millénaires nous séparent. À mon époque, la téléréalité a fait des progrès immenses, et nous pouvons voir le passé sur nos écrans. L'émission la plus populaire est la vôtre : *Les aventures terrifiantes des Téméraires de l'horreur*. Tous les jeunes du futur vous écoutent... TOUT LE TEMPS !!!

— Mais tu disais qu'il allait m'arriver malheur très bientôt. Qu'est-ce qui m'arrive au juste ? Et mes amis, eux, ils s'en sortent ?

— Non, pas plus que toi ! Mais il n'y a aucun problème puisque je vais te renvoyer dans ton époque quelques heures avant que toute cette fâcheuse histoire débute. Avant même l'arrivée des châteaux de Malvenue. Tu pourras tout expliquer aux autorités et ainsi éviter une catastrophe.

— EXCELLENT ! te réjouis-tu.

— Mais avant tout, je veux que tu me rendes un petit service. Mes amis et moi aimerions avoir ta signature. J'ai quatre milliards trois millions huit cent quatre-vingt mille deux cent soixante-quatorze copains et copines, et selon mon calcul, tu n'en as que pour quelques siècles...

FIN

51

Tu prends les deux pièces et tu les attaches ensemble avec du fil.

Lorsque tu t'apprêtes à introduire une longue aiguille dans le torse de la poupée... ELLE SE MET À BOUGER !

Tu recules... TERRORISÉ !

La poupée marche sur la table. Tu attrapes la chandelle afin de brûler cette créature du diable à qui tu as malheureusement donné vie.

Jean-Christophe t'arrête lorsqu'il s'aperçoit que la poupée se prépare à sauter en bas de la table. Vous la suivez tous les trois. Elle clopine à vive allure jusqu'à l'extérieur.

Dehors, elle s'arrête et pointe son doigt en direction d'un des châteaux. Jean-Christophe sourit.

— Le sortilège a réussi, et MIEUX que nous l'espérions...

— Qu'est-ce que tu veux dire ? tente de comprendre Marjorie. Je ne saisis pas ce qui se passe ici...

— La poupée nous indique l'endroit où nous devons nous rendre, lui réponds-tu à la place de Jean-Christophe. LE PETIT CHÂTEAU ! Nous devons aller dans le petit château...

ALLEZ-Y ! Par le chapitre 4...

Allez vers le chapitre...

33

Le maire et ses collaborateurs ! Enfermés dans des cachots, ils sont encore en vie. Une meute de chiens à trois têtes garde les lieux. Ce Cerbère a une grande famille…

Comme si vous aviez pratiqué l'escalade toute votre vie, vous descendez rapidement les pierres et les poutres de la tour à demi effondrée. Comme des espions en mission importante qui décideront du sort du monde, vous rampez sur le sol. Devant vous, la passerelle sur laquelle se sont endormis les chiens de garde se balance au gré des vagues.

DODO, beau dodo…

De l'autre côté, il y a les cachots.

Tu regardes Jean-Christophe, il te fait oui de la tête, mais Marjorie, elle, fait… NON !

— Attends-nous ici, lui ordonnes-tu dans ce cas. Si l'un de ces animaux mutants se réveille, fais-nous signe.

— Quel signe je dois faire si ça arrive ?

— Tu cries : ATTENTION ! IL Y EN A UN QUI S'EST RÉVEILLÉ ! lui dit son frère. Ce n'est pas compliqué…

— Peux-tu répéter ?

— Cesse tes niaiseries !

En silence, tu te diriges avec Jean-Christophe vers la passerelle au chapitre 33.

En effet, vissé à un gros arbre, il y a un système pouvant activer l'invisibilité du château et l'alarme générale. Il s'agit d'appuyer sur le bon bouton pour rendre enfin visible ce foutu château…

62 **74**

Une longue passerelle lugubre vous amène à un curieux château bleu, brillant et un peu transparent. Il fait de plus en plus froid ici et... DE LA NEIGE TOMBE SUR LE SOL !

Ça, ce n'est pas normal pour cette période de l'année, même à Sombreville, où il se passe toujours des choses pas très normales...

Comme toujours, vous avez emporté tout ce qu'il vous faut dans vos sacs à dos sauf des vêtements chauds. Votre pas s'accélère, et vous avez très hâte de vous mettre à l'abri.

C'est une chance, le pont-levis a été abaissé sur des douves glacées. Ce rempart d'eau qui habituellement protège les châteaux est complètement gelé...

Tu poses la main sur la poignée de la porte. Elle est tellement froide que ta main reste presque collée. Est-ce que la porte est verrouillée ?

Pour le savoir... TOURNE LES PAGES DU DESTIN !

Si elle est déverrouillée, entrez dans le château par le chapitre 80.

Si par contre elle est verrouillée, allez au chapitre 39.

56

S'il n'y avait pas le très grand risque d'attirer un vampire, tu hurlerais ta joie en voyant que vous êtes ENFIN sortis de ce foutu labyrinthe...

Un escalier vous conduit à une pièce octogonale. Une boule de cristal placée sur un socle de marbre noir vous renvoie les reflets du ciel bleu foncé éclairé faiblement par la lune.

Lorsque tu t'approches, de la fumée se forme dans la boule. Tu es tout étonné de voir des images... DE TOI ! Comme dans une petite télé, tu te vois marcher avec Marjorie et Jean-Christophe à tes côtés.

— Nous ne sommes jamais passés par là, remarque Jean-Christophe. Alors c'est notre avenir que nous montre cette boule de cristal.

— Il ne peut s'agir que du château où nous devons aller pour trouver les cinq vampires, en conclut Marjorie. Sinon, ça serait complètement inutile de traverser les dédales de ce labyrinthe.

— Tu as raison ! fais-tu en prenant ton amie par l'épaule.

La boule de cristal vous montre clairement... L'ENTRÉE DU PLUS PETIT CHÂTEAU !

Lorsque la fumée se dissipe, l'image disparaît...

Dans la pièce, un passage secret s'ouvre **CRRRRRRRR !** *et vous ramène au chapitre 4...*

57

Avec l'aide de Jean-Christophe, tu parviens à comprendre le fonctionnement des leviers.

— FACILE ! t'écries-tu.

— C'est un peu comme un mélange de jeux vidéo et de cuvettes de toilettes, dit Marjorie.

— Je ne vois pas le rapport, essaie de comprendre son frère.

— Moi non plus, lui répond sa sœur, mais je voulais juste dire ça...

Jean-Christophe la regarde, un peu découragé.

Tu pousses un levier, et aussitôt, les chaînes qui retenaient l'île se libèrent de leurs amarres. Tu fais faire plusieurs tours à la grande roue et tu actionnes les moteurs. Les quatre îles se dirigent lentement vers la haute mer et quittent la baie de Sombreville.

En regardant par le télescope, tu constates avec joie que les administrateurs ont réussi à s'échapper du donjon et qu'ils regagnent la rive à la nage. Sur le quai, le maire reprend son souffle. Tu lui fais de grands signes avec les bras. IL T'A APERÇU ! Il pointe les îles qui s'éloignent...

Allez au chapitre 13.

58

Des mains bleues aux longs doigts arrivent vers vous ! Est-ce que ces fantômes polaires vont réussir à vous attraper ?

Pour le savoir… TOURNE LES PAGES DU DESTIN !

S'ils réussissent à vous attraper, vous êtes tous les trois tirés vers le chapitre 3.

Si par contre vous parvenez à vous échapper, montez le grand escalier au chapitre 77.

59

Tu examines minutieusement chacune des pièces posées sur la table du chapitre 60. Afin de constituer une poupée vaudou à l'image des princes vampires, quelle combinaison de pièces devrais-tu utiliser ?

Il est strictement interdit de retourner au chapitre précédent pour consulter le bouquin des sortilèges, sous peine de malédiction...

Si tu penses que les pièces A et D vont bien représenter les vampires, va au chapitre 2.

Si tu crois plutôt que les pièces B et E seraient parfaites, rends-toi au chapitre 51.

Si par contre tu as la certitude que les pièces C et F sont celles qu'il faut pour construire une poupée vaudou efficace contre les vampires, va au chapitre 65.

DOMMAGE ! Elle est verrouillée...

Inutile de chercher une autre façon d'y entrer. Essayer de trouver une entrée secrète, cachée et invisible, c'est comme essayer de trouver un vampire qui n'aime pas le sang...

C'EST COMPLÈTEMENT STUPIDE !!!

Vous rebroussez chemin.

ZUT ! l'extrémité de la passerelle est tombée et descend directement dans l'eau de la baie. NON, PAS ZUT !

Comme par magie, l'eau s'est écartée, et il y a maintenant un passage pour aller vers le fond...

— Mais qu'est-ce qui se passe ? veux-tu comprendre. C'est de la sorcellerie. Est-ce que quelqu'un nous tend un piège ?

Il n'y a qu'une façon de le savoir...

Allez au chapitre 92.

62

OOOOOOOUUUUUUUUUUUUUUU !

OH ! OH ! mauvais bouton…

Au-dessus de la forêt apparaissent tout de suite cinq chauves-souris géantes… LES CINQ PRINCES VAMPIRES !

Vous essayez de les atteindre avec vos ballons remplis d'eau bénite, mais ils volent trop haut dans le ciel. Votre stock épuisé, un vampire fonce. Tu te jettes par terre…

— RATÉ ! ESPÈCE DE VIEUX DÉBRIS DE CERCUEIL !

Quelque chose coule dans ton cou… DU SANG ! Malheur, il t'a bel et bien mordu.

Trois vampires entourent Marjorie. Tu sens ta force décupler parce que tu deviens toi aussi l'un des leurs. Mais toute la méchanceté des vampires ne peut pas faire disparaître l'amitié que tu as pour tes amis. Tu te propulses pour les protéger des princes vampires. Une longue bataille commence… À COUPS DE CANINES !

Marjorie et Jean-Christophe réussissent à s'échapper. Les cinq princes t'entourent. Tu t'élances dans le ciel et tu reviens à la charge. Tes ailes noires toutes déployées, tu parviens à les faire tomber comme de simples quilles sur une allée de jeu de quilles… La bataille durera plusieurs siècles avant que tu ne… PERDES !

FIN

63

Vous vous approchez tous les deux…

— C'est un ascenseur, vous apprend-il. Prenez place !

À peine avez-vous posé votre derrière sur un fauteuil que Jean-Christophe appuie sur le bouton. Le sol gronde, et vous sentez que les cinq fauteuils s'élèvent lentement.

GRROOOOOUUUUUUU !

Les étages de la tour défilent autour de vous. Tu serres les bras du fauteuil lorsque tu aperçois une créature terrifiante qui descend un escalier. Elle s'arrête au moment où elle te voit, puis elle se met à remonter les marches… EN COURANT !

MAUVAISE NOUVELLE !

Marjorie grimace, et Jean-Christophe, placé dos à vous, cherche de tous les côtés pour savoir ce qui se passe.

L'ascenseur poursuit sa montée et finit par s'arrêter au sommet. Marjorie et toi, vous vous lancez vers la porte pour la barricader. Immobiles, vous écoutez. Derrière la porte, des pas lourds résonnent puis s'arrêtent.

Tu regardes Marjorie qui est blanche comme un drap.

BANG ! Le monstre frappe…

Vous sursautez tous les deux, au chapitre 17.

Tu te grattes la tête et tu décides d'aller vers le chapitre...

Tu prends les deux pièces et tu les attaches ensemble avec du fil.

Sans attendre, tu enfonces une très longue aiguille dans le milieu du torse de la poupée vaudou, qui s'enflamme aussitôt.

Marjorie lève les épaules…

— Et puis ? Tu crois que le sortilège a fonctionné ?

— Je ne sais pas…

Vous sortez de la baraque, question d'observer les alentours.

— Et alors ? insiste Marjorie.

— Je crois qu'oui, mais le temps nous le dira…

Certains que vous avez réglé le cas des vampires, vous retournez vers le quai. Sur la passerelle, vous remarquez que de la fumée et du feu s'échappent de plusieurs maisons de Sombreville.

Vous courez derrière les camions de pompiers qui arrivent. En tournant le coin de la rue, tu constates avec horreur… QUE C'EST TA MAISON QUI BRÛLE ! Tu es tout étonné de voir qu'un gigantesque cylindre de métal a transpercé ta chambre. Ce cylindre ressemble en tous points à l'aiguille que tu as utilisée sur la poupée vaudou plus tôt…

66

La légende des cinq familles

Cette légende invraisemblable remonte à la préhistoire, aux temps les plus reculés où les continents ne formaient qu'une seule et unique masse de terre. Une longue guerre s'était amorcée pour la domination du continent. Cinq tribus se disputaient ce qui allait devenir le plus grand royaume.

Des centaines de batailles eurent lieu. Pendant des années, le sang des guerriers coula sur les terres et se mélangea aux eaux limpides et bleues des rivières. L'eau devint graduellement rose, puis rouge. Tous les membres des cinq familles buvaient cette eau.

Lentement, au fil des siècles, le sang finit par constituer leur seule nourriture.

Un jour vint la plus grande bataille. Cet ultime affrontement allait enfin décider du sort de tous. Réunies sur le plateau, les cinq armées convergeaient vers leur destin lorsque la terre s'ouvrit sous leurs pieds. Dans les failles profondes de la terre s'engloutirent toutes les armées.

Suite au chapitre 36.

67

— Non, mais, vous réalisez ce que vous planifiez de faire ? essaie de vous faire comprendre Marjorie. DE LA SORCELLERIE ! Ça va à l'encontre de tout ce que nous défendons depuis des années. C'est comme si nous devenions nous aussi… DES MÉCHANTS !

— Je le sais très bien, mais si nous réussissons, tente de lui expliquer son frère, nous pourrions sauver plusieurs vies…

— Entre autres les nôtres ! lui précises-tu… Ça, c'est une foutue bonne raison…

Pas du tout d'accord et voyant qu'elle n'aura jamais raison, Marjorie se retire dans un coin et vous laisse tous les deux… VOUS AMUSER À JOUER À LA POUPÉE ! Même si vous avez depuis longtemps passé l'âge…

Avec l'aide d'un grand bouquin, vous rassemblez sur la table toutes les pièces et les ingrédients nécessaires au rituel.

Allez au chapitre 46.

68

Juste comme vous arrivez devant la première marche,

BRAAAAOOOOOOOOUUUM !

atterrit dans l'escalier Cerbère, complètement métamorphosé : plus gros, plus méchant... ET PLUS EN COLÈRE !

Allez au chapitre 7.

69

— QUI ? essaie de savoir Jean-Christophe. QUI ?

— Le lapin de Pâques ! lui répond sa sœur pour se moquer. Une saleté de vampire, qui d'autre veux-tu que ce soit...

Nerveux et sur vos gardes, vous montez les marches. À ta gauche, tu ne vois pas la main bleue sortie d'un autre tableau. Elle s'approche de toi, les griffes bien tendues.

Tu as l'impression étrange qu'il se passe quelque chose, tu tournes la tête.

ZVOOOUUUUUCH !

La main bleue disparaît en une fraction de seconde, si vite que tu ne t'es rendu compte de rien. Dans ta tête, la peur s'installe. Jean-Christophe pose le pied sur une marche qui, curieusement, s'enfonce.

SCHHHHHH !

Autour de vous, dans un boucan incroyable, les murs et le plancher se mettent à bouger.

CLINK ! CLINK ! CRIIIIIC !

Tu t'agrippes à la rampe. Enfin, le vacarme cesse, mais tout autour de vous a changé. Le plancher est maintenant à la verticale, et le mur de tableaux a pris la place du plancher.

Suspendu, les pieds dans le vide, tu regardes au chapitre 8.

70

56

Tous les trois à bout de patience, vous parvenez à la dernière partie du labyrinthe au chapitre...

71

Vous marchez sur cette drôle de passerelle. Chaque fois que tu y déposes un pied, CRAC ! les os craquent…

— Logiquement, réfléchit Marjorie, chacun de ces châteaux abrite un très vieux prince vampire.

— Oui, mais ce soir, il y a une réception, lui rappelles-tu. Au moment où l'on se parle, les cinq buveurs de sang doivent être en train de se régaler des administrateurs de la ville.

— Tu crois que nous faisons fausse route et qu'il n'y a personne dans celui-là ?

— Je ne compterais pas là-dessus. Ils sont peut-être fous, mais pas au point de laisser les châteaux sans surveillance…

Autour de la plus grande tour virevoltent des chauves-souris, les petits animaux tant chéris des vampires. Ces bêtes possèdent aussi une dentition plutôt proéminente… À ÉVITER !!!

Vous parvenez sans encombre devant la grande porte qui s'élève très haut devant vous. Est-elle verrouillée ?

Pour le savoir… TOURNE LES PAGES DU DESTIN !

Si elle n'est pas verrouillée, ouvrez-la au chapitre 78.
Si par contre elle est bien verrouillée, allez au chapitre 25.

Tu tends la main et
tu ouvres la porte...

*Tu fais un pas vers
l'arrière au chapitre 47.*

73

Vous courez vers la passerelle, mais rapidement les fantômes vous encerclent...

OOOOOOOUUUUUUHH !

Vous laissez tomber pierres précieuses, colliers de perles, couronnes en or, enfin, tout ce que vous aviez pris. Ça ne semble pas intéresser les fantômes qui approchent quand même, couteaux entre les dents.

Juste comme tu crois que tout est terminé, les fantômes disparaissent. Quelque chose les a effrayés. Vous vous regardez tous les trois sans trop comprendre ce qui se passe.

Un bizarre petit poisson rouge à deux têtes avance vers vous.

Tu te demandes pourquoi ces cruels fantômes ont eu si peur de ce si petit poisson. POURQUOI ? Parce que justement, ce petit poisson a deux têtes. Il ne peut que manger sans jamais pouvoir aller aux toilettes. Cette situation le frustre plus que tout et lui donne un très mauvais caractère...

FIN

74

Sous vos yeux ébahis, le château se matérialise.

Vous vous jetez à l'intérieur sans attendre. Vous fouillez de fond en comble sans rien trouver d'intéressant. Une tapisserie sur un mur illustre l'histoire d'une bataille féroce tout en haut d'une tour. Cinq vampires survolent trois personnes que tu sembles... RECONNAÎTRE !

— CROTTES DE CACA ! s'écrie Marjorie, qui a aussi remarqué. C'EST NOUS !

La scène montre clairement que vous allez perdre la bataille.

— Ce n'est pas étonnant ! se choque Jean-Christophe. Ils sont cinq, et nous ne sommes que trois.

Tu examines attentivement la tour afin de déterminer dans quel château vous devriez aller...

— C'est dans le plus petit ! montres-tu à tes amis. Allons-y ! Ce n'est qu'une stupide tapisserie, et ce n'est pas ça qui va m'effrayer... Nous allons tout faire pour ruiner les vacances de ces princes vampires...

Partez vers le chapitre 4.

Tu chutes lourdement, entraînant tes amis avec toi.

BAAAAANG ! font tes fesses lorsqu'elles touchent le sol, et **CRAAAC ! BAAANG !** fait la grosse branche lorsqu'elle se casse et heurte ta tête...

Tu ouvres les yeux. AÏE ! ta tête te fait très mal. Il fait particulièrement noir, et où sont tes deux amis ?

— Jean-Christophe ? Marjorie ? Vous êtes là ?

Silence...

Couché sur le sol, tu tentes de te relever, mais ta tête frappe quelque chose de plus dur qu'elle...

POK !

On dirait que tu es enfermé dans une caisse de bois... UN CERCUEIL !!!

Tu pousses de toutes tes forces, mais c'est inutile puisque tu es enterré et qu'il y a une tonne de terre au-dessus de toi. Des heures s'écoulent, tu as soif et très, très faim. Un ver de terre passe sur ta main. NON ! Tu ne peux pas manger ça ! NON ! Pas aujourd'hui, mais demain OUI ! car tu auras beaucoup trop...

FAIM

Rends-toi au chapitre inscrit sur le passage que tu désires emprunter...

77

Les marches sont très glissantes. Tu traînes Marjorie en tirant sur son chandail. Vous courez et parvenez à semer les fantômes en disparaissant derrière une porte. Dans la chambre où vous vous trouvez...

— Quelqu'un dort dans le grand lit ! chuchote Marjorie, les yeux agrandis par l'inquiétude.

Sous les couvertures, tu devines les formes sinueuses d'un corps couché. Vous vous serrez tous les trois les uns contre les autres.

— Il faut sortir d'ici !

BONNE IDÉE !

Tu poses la main sur la poignée, mais tu t'arrêtes lorsque tu entends « OOOOOUUUUUUU ! » dans le passage, de l'autre côté de la porte... VOUS NE POUVEZ PAS SORTIR !

Tu te retournes vers le lit et tu constates... QU'IL N'Y A PLUS PERSONNE DEDANS !

Marjorie t'attrape un bras et te serre très fort en pointant le plafond...

Tu lèves la tête au chapitre 16.

Elle n'est pas verrouillée ! Tu voudrais bien te réjouir, mais tu préfères attendre de voir ce qu'il y a de l'autre côté...

Jean-Christophe, qui est le plus fort, pousse la lourde porte, qui s'ouvre en grinçant.

CRRRRRRRIIIIII !

Par terre, un crâne te regarde. Tu sursautes. Un petit serpent vert fluorescent entre par une orbite et ressort par l'autre... DÉGOÛTANT !!! Marjorie enjambe le squelette et entre.

Tu fouilles dans ton sac à dos et tu prends un petit ballon rempli d'eau bénite. Mieux vaut être prêt à toute éventualité...

Des armures rouillées et couvertes de toiles d'araignées bordent les murs jusqu'à une double porte. Tu les examines attentivement pour voir si quelqu'un ou quelque chose ne se cacherait pas à l'intérieur.

Deux grands escaliers conduisent à une mezzanine. Sans vous consulter, vous empruntez spontanément l'un d'eux. Il y a des tableaux à la fois effrayants et intrigants sur les murs.

Tu t'approches de l'un d'eux au chapitre 42.

79

Vous courez dans toutes les directions. Plus rapide que toi, le cadavre réussit à te cerner dans un coin juste comme tu allais suivre tes amis qui, eux, très chanceux, arrivent à s'éclipser par l'entrée.

Tu retiens ta respiration pour ne pas renifler l'atroce odeur de décomposition. Dans un effort ultime, motivé par ta volonté de ne pas finir entre les griffes de ce monstre, tu fonces toi aussi vers la porte.

SUPER !

Tu parviens à sortir. Mais où sont tes amis ? Dehors, tu ne vois absolument rien, car il tombe une pluie torrentielle. Tu cours quelques minutes pour t'arrêter seulement lorsque tu constates que tu es égaré.

CURIEUX ! Le sol est mou... TRÈS MOU ! Une masse informe se tient près de toi. Est-ce que c'est Marjorie qui est tombée dans la boue ? Elle est si maladroite... NON ! C'est une créature des marais...

Tu t'enfonces et tu ne peux plus fuir...

FIN

80

Le bout des doigts presque gelé, tu pousses sur la grande porte. Derrière, un hall magnifique vous éblouit. Un grand escalier majestueux mais sinueux monte très haut et disparaît dans le château. Il y a partout des meubles splendides sculptés dans de la glace. Dans un immense foyer, des flammes bleues crépitent. Tes pieds quittent le tapis de neige et se posent sur le plancher de glace. Tout de suite, tu te mets à glisser pour finalement t'aplatir le visage sur un mur froid...

BLAAAANG !

Tu te relèves, un peu étourdi...

— Je pense qu'il faut faire très attention lorsque nous marchons sur la glace. Nous ne voulons pas nous casser la gueule...

Main dans la main, Marjorie et Jean-Christophe approchent du foyer. Tu t'y diriges toi aussi, question de te réchauffer un peu. Ces curieuses flammes bleues ne dégagent pas de chaleur et possèdent des yeux très cruels qui vous regardent ! Marjorie se met à trembler, de froid et surtout... DE PEUR !

Allez au chapitre 58.

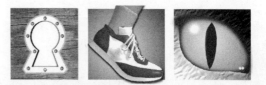

81

SPLAAACH !

Comme l'avait prédit Marjorie, l'eau bénite n'a pas fait disparaître Cerbère, mais a tout de même éteint les flammes. Cerbère se met à tousser comme s'il était pris d'une vilaine crise d'allergie. L'eau n'est peut-être pas compatible avec une créature qui vit dans les feux de l'enfer...

TCHOOOUUU ! TCHOOOUUU ! TCHOOOUUU !

Vous tirez Jean-Christophe jusqu'au couloir trop étroit pour Cerbère, c'est parfait...

Un dédale d'escaliers, de salles et de couloirs vous amène complètement au sommet d'une tour à moitié écroulée. Avec précaution, vous parvenez à atteindre une partie assez solide où vous ne risquez rien. Devant vous s'étend Sombreville, endormie malgré la menace réelle des vampires.

Tu aperçois sur une autre île flottante le donjon principal. De grandes chaînes rouillées relient les îles de Malvenue les unes aux autres.

Avec ta lunette d'approche, tu aperçois au chapitre 53...

82

Vous vous approchez
tous les trois.

*Compare
l'emplacement
du « X » à l'image
du chapitre 4. Il te
révèle l'emplacement
exact du château dans
lequel le maire est tenu
prisonnier.*

83

Cachés derrière une colonne, vous attendez très longtemps avant de bouger. Le ciel se couvre, et la pluie se met à tomber de plus en plus fort.

Sous vos pieds, le sol commence sérieusement à ramollir. Par crainte de vous enfoncer comme dans des sables mouvants, vous vous éloignez et vous parvenez à atteindre un îlot de terre plus dure sur lequel se dresse une baraque délabrée. Vous entrez, question d'attendre une accalmie.

Sur une table, autour d'une unique chandelle presque toute consumée, vous remarquez de bien curieuses figurines...

— C'est quoi, cet endroit ? demande Marjorie. Une maison de poupées pour enfants vampires ?

— Idiote ! lui répond son frère. Ce sont des... POUPÉES VAUDOU ! Des sorciers malfaisants utilisent ces figurines à l'image de leurs ennemis pour leur infliger des souffrances. Il suffit d'introduire une aiguille dans le chiffon.

— Tu crois que nous pouvons fabriquer cinq poupées vaudou pour exterminer les cinq princes vampires ? demandes-tu à Jean-Christophe.

— OUI ! je pense que nous avons tout ce qu'il faut ici...

Allez au chapitre 67.

Tu baisses la tête pour lire le nom sur la pla-
quette dorée.

— AL LUCARD ! lis-tu. Mais c'est le nom de
Dracula, inversé...

SOUDAIN, tu relèves la tête !...

Rends-toi au chapitre 21.

Vous avez énormément de chance…

Toujours protégés par la bulle d'air, vous finissez par atteindre la rive de la baie. Heureux, les poches pleines de bijoux d'une très grande valeur, vous pensez à tout ce que vous pourrez vous acheter avec cette fortune. Vous en oubliez votre mission.

Dans ton lit, tu t'endors avec ta fortune sous ton oreiller. Le lendemain à ton réveil, tu penses un peu au maire et à ses collaborateurs. Tu essaies de te convaincre que ce sont des adultes parfaitement capables de résoudre leurs propres problèmes…

Dans la salle de bains, tu remarques avec horreur que… TU AS DEUX PETITS TROUS SUR TON COU ! Les rayons de soleil qui traversent la fenêtre chauffent ta peau…

NOOOOOOOOOOON !

Tu appelles tout de suite tes amis…

MÊME CHOSE ! Comme toi, ils ont été mordus lorsqu'ils dormaient et sont devenus eux aussi des vampires.

QUEL GRAND MALHEUR ! Tout cet argent, et pas moyen de dépenser un seul sou. POURQUOI ? Parce que les magasins ne sont jamais ouverts… LA NUIT !

Marchez jusqu'au chapitre...

87

Juste avant que tu t'engouffres dans le tableau en flammes, ton ami réussit à t'attraper et à te tirer hors de danger. Tous les deux assis sur la colonne, vous souriez.

Sur les toiles de tous les tableaux apparaissent soudain des visages sans yeux de personnes mortes.

— DES TABLEAUX FANTÔMES ! s'écrie Marjorie à l'autre bout.

OH, OH ! c'est le temps de filer. Tels des funambules sur un fil, vous traversez le hall en marchant sur la colonne. Le grand plafonnier vous barre la route.

— Donne-moi un ballon d'eau bénite ! te demande Jean-Christophe. Je vais éteindre ces saloperies de chandelles, et nous pourrons passer.

— T'ES FOU ! C'est du vrai gaspillage ! Nous allons avoir très, très, super besoin de ces ballons lorsque nous arriverons face à face avec les vampires…

— Tu veux absolument rester ici avec ces horreurs-là ? te demande-t-il en pointant les fantômes.

Tu tournes le dos à ton ami, qui a vite fait de prendre un ballon. Avec ses dents, il fait ensuite un trou dans le ballon et réussit adroitement à éteindre toutes les chandelles…

Allez rejoindre Marjorie au chapitre 27.

Allez vers le chapitre...

Tu remarques tout à coup que quelque chose a bougé.

Si tu crois qu'une branche est tombée sur le sol, rends-toi au chapitre 18.

Si tu penses qu'une silhouette vient de se glisser entre deux arbres, va au chapitre 22.

C'est très étrange de pousser une porte que tu ne peux pas voir...

Vous entrez tous les trois. Tes pieds sont à un mètre au-dessus du sol parce que le plancher aussi est invisible...

Vous cherchez pendant de longues minutes sans trouver d'autre issue que celle par laquelle vous êtes entrés. Tout ce que cette visite vous a apporté, ce sont des prunes, c'est-à-dire des petites bosses sur la tête à force de vous frapper un peu partout sur les murs que vous ne pouvez pas voir...

— C'est inutile de rester ici, te dit Marjorie. Nous n'y voyons absolument rien...

Mais tu as la certitude que quelque chose d'important est caché dans ce château. Pourquoi serait-il invisible alors ?

Tu réfléchis quelques instants en regardant les arbres morts au loin...

... au chapitre 12.

Les doigts de Jean-Christophe effleurent ton bras. Son regard croise le tien, et tu tombes. Tu fermes les yeux et tu te prépares au choc.

Comme dans une bouche d'égout, tu t'engouffres jusqu'à la taille dans le tableau du volcan. Coincé, tu ouvres les yeux. Tu es encore en vie. Juste au-dessus de toi, Jean-Christophe te sourit.

— NE BOUGE PAS ! Nous allons te sortir de là.

— Il est drôle lui, te dis-tu tout bas. Comment puis-je bouger d'ici...

Tu sens que quelque chose, genre serpent ou tentacule, s'enroule autour de tes jambes. Les mains ancrées dans le cadre du tableau, tu essaies de toutes tes forces de ne pas te laisser aspirer.

OUPS ! tu viens de perdre une espadrille, et ça chatouille. Comment rire dans une telle situation ? Des centaines de vers de terre se tortillent entre tes orteils.

BEURK !

Tes mains glissent, et tu finis par tomber dans un gigantesque ramassis de serpents, de vers, de pieuvres, de chenilles, bref, de bestioles gluantes de toutes sortes...

92

Vous descendez sous le niveau de la mer avec la crainte bien présente d'être submergés à tout moment...

La passerelle aboutit tout au fond de la baie. Vous marchez sur le fond marin, entourés d'une grande bulle d'air qui vous permet de respirer sous l'eau. L'épave d'un navire en bois pourri fait battre fort ton cœur. C'est vraiment impressionnant ! Un immense trou dans la coque te permet d'admirer l'éclat d'un trésor oublié.

Vous ramassez tout ce que vous pouvez, car un petit trésor n'a jamais fait de mal à personne...

ERREUR ! Ce trésor appartient à une bande de pirates fantômes qui surgissent de l'épave. Vous partez avec ce que vous avez réussi à prendre... Est-ce que les fantômes vont parvenir à vous attraper ?

*Pour le savoir... **TOURNE LES PAGES DU DESTIN !***

S'ils parviennent à vous attraper, allez au chapitre 73.
Si la chance est avec vous et que vous réussissez à vous échapper, allez au chapitre 85.

93

L'affreux cadavre coupé en deux n'est pas très rapide. Vous parvenez facilement à le semer dans un long corridor mal éclairé par des crânes chandeliers sur lesquels sont placées des bougies… ALLUMÉES ! Ce n'est pas très bon signe…

Vous vous arrêtez, hors d'atteinte du cadavre coupé. Derrière les pierres, vous percevez des murmures inintelligibles. Tu y colles une oreille, et le mur pivote. Tu as sans doute appuyé sur quelque chose.

De l'autre côté, un fauteuil vide est placé devant une télé en marche. Tu t'approches avec précaution. Sur l'écran de télé, un terrifiant visage blanc te regarde droit dans les yeux. Tu bouges, et il te suit. Tu recules, et il te regarde toujours directement dans les yeux.

Tu appuies sur quelques boutons, mais le poste de télé demeure allumé. Lentement, un corps squelettique s'extirpe de l'écran.

Debout devant la télé, le visage caché par une longue chevelure noire, la macabre silhouette demeure immobile. Suivi de tes amis, tu retournes près du mur afin de trouver le bouton qui vous ramènera dans le corridor. Mais si Marjorie et Jean-Christophe sont tous les deux à ta droite, qui donc se tient à ta gauche, tout près de toi ?…

Va au chapitre 40…

Rends-toi au chapitre inscrit sur le passage que tu désires emprunter...

Les ballons, complètement gelés, frappent le plafond, **POC** ! tout près de la vampire, mais ils n'éclatent pas.

La vampire crie « **HRRRUUUUUUUIIII** ! » et se change en chute de neige qui tombe sur toi. Tu places tes mains pour te protéger. Enseveli sous la neige, tu essaies de respirer. Une main touche ton visage... C'EST JEAN-CHRISTOPHE ! Tu peux maintenant respirer...

OÙ EST PASSÉE LA VAMPIRE ?

Marjorie lève les épaules.

— Je ne comprends pas du tout ! Je n'ai jamais vu un vampire faire cela avant...

Dans ta bouche... DEUX CANINES VIENNENT DE POUSSER !

— Mais elles ne sont pas à moi, ces dents !

Tes amis s'éloignent...

Tu les pourchasses pour leur expliquer... pour leur expliquer que... TU AS SOIF ! TRÈS SOIF ! Et que ce n'est pas si mal d'être un vampire. En plus, ça te permet de rentrer très tard la nuit...

96

Cerbère vous accueille. C'est le chien qui garde habituellement les portes de l'enfer. Le diable, ami personnel des vampires, est parti en vacances visiter les volcans de la terre. Il a demandé à ses amis de s'occuper de son méchant toutou pendant son voyage.

Reculez vers le chapitre 5.

97

Au-dessus de vous, Marjorie s'éloigne...

Tu fouilles nerveusement dans ton sac à dos, espérant... NON ! Il ne reste plus un seul ballon d'eau bénite... Tu ne peux rien pour elle...

Près de toi, Jean-Christophe sourit. Tu veux comprendre pourquoi. Marjorie tient dans sa main... LES SPAGHETTIS À L'AIL DE SA MÈRE !

— HÉ ! CROTTE DE MOUCHE, J'ESPÈRE QUE TU AIMES LES PÂTES ! crie-t-elle au vampire en lui lançant tout le paquet.

Les spaghettis s'agglutinent sur le visage du vampire, qui, immédiatement, devient aussi sec qu'une croustille. Le cadavre desséché du vampire tourne lentement dans le ciel comme un cerf-volant et vient déposer délicatement Marjorie juste à côté de toi...

— MAGISTRALE ! t'exclames-tu. Tu as été tout simplement magistrale...

— BAH ! ce n'est rien, je fais ça tous les matins...

Devant la lune passent les grandes ailes sombres du DERNIER VAMPIRE !

Allez au chapitre 26.

Allez au chapitre...

— DÉGAGE, MICROBE ! DU BALAI ! Va faire le ménage de ta chambre ! t'ordonne le plus grand d'une façon très impolie. Le maire n'apprécierait pas qu'un *plouc* de ton genre vienne le déranger lorsqu'il est reçu par des ambassadeurs étrangers importants...

En colère, tu essaies de voir ses yeux derrière ses lunettes fumées. Il faut être con pour mettre des lunettes de soleil lorsqu'il fait noir...

Comprenant que c'est inutile de discuter avec ces idiots, tu cesses de t'agiter. Les deux gardes du corps te laissent partir.

Tu cours jusqu'à la maison de tes deux amis Marjorie et Jean-Christophe. Sans même prendre le temps de sonner, tu entres... PERSONNE ! Mais où sont-ils ? Tu les trouves dans le sous-sol...

Marjorie est braquée devant la télé.

— JE SAIS ! te dit-elle avant que tu aies pu placer un seul mot. Ils en parlent à la chaîne de nouvelles. Ces ambassadeurs sont des vampires ! ÇA, C'EST PLUS QUE CERTAIN ! Mais comment le maire peut-il s'être fait berner de la sorte ? Il ne va jamais chercher de films d'horreur au club vidéo ?

Allez au chapitre 29.

100

Lentement mais sûrement, les îles s'engloutissent. Au sommet de la tour, vous attendez le moment propice pour vous jeter à l'eau. Une grosse vague passe par-dessus le rempart. Vous sautez tous les trois à la mer.

TRIPLE SPLAAACH !

Dans un gros bouillon, les îles disparaissent. De grosses bulles d'air vous chatouillent partout. Tu nages en direction de la haute coque grise du destroyer. Deux marins déroulent une échelle pour vous permettre de monter à bord.

Sur le pont du destroyer, le maire vous accueille en héros.

— SUPER BEAU TRAVAIL LES JEUNES ! Sombreville vous sera toujours reconnaissante... Demandez-moi ce que vous voulez, et je vous l'accorde sur-le-champ...

Tu te retournes en souriant vers ses deux gardes du corps...

— Ma chambre aurait besoin d'un sérieux ménage, monsieur, et j'aurais besoin d'aide...

FÉLICITATIONS !
Tu as réussi à terminer...
Les châteaux de Malvenue.

PETITES HISTOIRES TERRIFIANTES... AVEC DE VRAIES PHOTOS !!!

Depuis la parution de la collection Passepeur en 1997, j'ai entendu des tas d'histoires invraisemblables. Des histoires de fantômes, de revenants, d'extraterrestres... ET PLUS !!! Je me suis souvent demandé pourquoi les gens me racontaient ces histoires, à moi. Peut-être parce que je suis auteur d'histoires d'horreur. Ces témoins de manifestations étranges ont sans doute pensé trouver en moi une oreille attentive... À LEURS HISTOIRES INCROYABLES !

Oui, j'ai écouté ces histoires, mais j'ai aussi vérifié si elles étaient authentiques.

J'ai donc rassemblé, ici, pour toi, les meilleures, les pires... ET LES PLUS EFFROYABLES ! Je te conseille de lire ces histoires en plein jour, car tu risques gros à les lire... AVANT DE TE COUCHER !!!

UN DE TROP

Tu aimes la campagne ? OUI ! Mais tu n'es pas tout seul…

Cette histoire ne provient pas d'un ami qui a un voisin à qui on l'a racontée… NON ! Cette aventure est arrivée à mon frère… ET J'ÉTAIS LÀ !!!

Mon frère Tito, Jean-Claude de son vrai nom, est un fou de l'électronique. Chez lui, c'est un vrai magasin, il possède tout ! Un soir d'automne, après avoir bien mangé, nous sommes allés, lui et moi, marcher près de la forêt. Il voulait me montrer sa dernière acquisition : un appareil photo électronique à infrarouge pouvant prendre des photos dans la noirceur complète.

Nous avons trouvé le coin le plus sombre, le plus noir, complètement à l'extrémité de la clairière. Là, il m'a demandé de me placer dos aux arbres. Il a pris une photo, et nous sommes retournés à la maison. Il a branché son appareil à son ordi très puissant, et nous avons tout de suite vu que, sur la photo… JE N'ÉTAIS PAS SEUL !!!

J'ai cru qu'il voulait me jouer un très vilain tour, mais lorsque j'ai vu qu'il tremblait….

ÉTRANGE CHAT

As-tu déjà essayé de regarder dans les yeux d'un chat ? Ça donne froid dans le dos, car tu ne peux y voir que du mystère...

Juin 2005. Un ami qui partait en voyage à la Nouvelle-Orléans m'a demandé de le reconduire à l'aéroport. Lorsque je suis allé le chercher chez lui, il m'a ouvert la porte, et j'ai tout de suite remarqué qu'il avait l'air un peu tracassé. Mon ami avait-il peur de l'avion ? Non. Il m'a répondu qu'il était un peu inquiet, car Sushi, son chat, semblait très bizarre. Était-il malade ?

Lorsque je suis allé dans sa chambre, j'ai remarqué que son chat était immobile sur son lit et qu'il avait, entre ses pattes, un curieux objet rond, comme une sorte de « O » en bois.

Mon ami m'a dit que son chat rapportait toutes sortes de trucs lorsqu'il rentrait à la maison. De plus, nous avons trouvé la posture du chat sur le lit si étrange que nous avons pris une photo.

C'est la voisine de mon ami qui allait s'occuper de Sushi pendant son voyage. Quelques jours plus tard, mon ami m'a envoyé par courriel quelques photos de son voyage. Parmi ces photos, il y avait celle-ci :

À ce jour, nous ne sommes jamais parvenus à expliquer la présence du « O » à des milliers de kilomètres de la Nouvelle-Orléans...

UNE REVENANTE QUI REVIENT

Une caméra de surveillance a été installée dans l'escalier d'un immeuble à appartements parce que les locataires se plaignaient de gens qui, semble-t-il, empruntaient cet escalier... PENDANT LA NUIT ! La cassette a fourni au propriétaire de l'immeuble des images saisissantes...

Depuis, l'immeuble vacant n'a jamais réussi à trouver… UN ACHETEUR BRAVE !

C'est quoi, ça ?

UN TABLEAU QUI VAUT DE L'OR... REUR !

Ce tableau d'une poupée diabolique vaut des centaines de milliers de dollars. Il est à vendre depuis des années pour la ridicule somme de dix dollars. Personne n'en veut parce qu'il est porteur d'une terrible malédiction. Tous ceux qui ont osé l'accrocher sur un mur de leur demeure... ONT DISPARU ! Sans jamais laisser la moindre trace...

L'ARBRE DU PENDU

Rivière Noire, au sud du Québec. Tu peux, toi aussi, prendre une photo de cet arbre mort près de la rive de la rivière. Au pied de l'arbre, entre les racines, tu vas remarquer une tête horrible qui te regarde et qui semble disparaître lorsque tu t'approches. Dans cette rivière, inutile de perdre ton temps à pêcher, car tu ne peux pas y trouver un seul poisson…

MAISON À NETTOYER... DE TOUTES SORTES DE CHOSES !

Pour rénover cette vieille baraque qu'il venait d'acheter, mon oncle Pierre a eu recours à cinq charpentiers, deux menuisiers, trois peintres, deux plombiers... ET UN MÉDIUM !

SORTI AVANT MÊME D'ÊTRE ÉCRIT...

Cette dernière histoire m'est arrivée, à moi.

Novembre 2003, dans une école de Montréal. Je participe à une « mini » exposition de livres organisée par l'école. Dans le gymnase, j'ai installé mon présentoir, ma chaise terrifiante et ma table morbide, que j'emporte partout dans les grands Salons du livre du Québec.

J'ai pris quelques photos comme je fais toujours. Quelques semaines plus tard, j'ai regardé les photos de cette activité et j'ai remarqué un détail qui m'a vraiment troublé... Dans ce présentoir, il y avait, bien avant qu'il soit écrit... LE PASSEPEUR NUMÉRO 25 ! LES CHÂTEAUX DE MALVENUE

Comment peux-tu expliquer que ce titre se soit retrouvé dans mon présentoir DEUX ANS avant sa parution et que l'image se retrouve dans le livre... QUE TU TIENS ENTRE TES MAINS ??!!

EST-CE QUE TU CROIS À CES HISTOIRES ? NON !

Eh bien ! tu as raison, AUCUNE N'EST VRAIE ! Je les ai inventées dans le seul but de t'amuser et de te divertir. Les fantômes, les vampires, les zombies, les loups-garous... N'EXISTENT PAS !!! Et là, tu peux me croire sur parole, car je suis un SPÉCIALISTE DANS CE DOMAINE...

DORS BIEN !

RICHARD

LES CHÂTEAUX DE MALVENUE

Une certaine famille de Transylvanie a décidé de prendre des vacances à Sombreville. Accrochez partout dans la maison des chapelets d'ail et essayez… ESSAYEZ ! de garder votre sang… FROID !

UN LIVRE PALPITANT QUI SE JOUE À LA FAÇON D'UN JEU VIDÉO…

Oui, ce livre n'est pas qu'un simple livre… C'EST TON AVENTURE ! Et dans ton aventure, c'est toi qui décides du déroulement de l'histoire. ATTENTION ! Ce livre contient aussi un jeu original qui pourrait transformer ton histoire en vrai cauchemar... LE JEU DES PAGES DU DESTIN !

Il y a 16 façons de finir cette aventure, mais seulement une finale te permet de vraiment terminer… *LES CHÂTEAUX DE MALVENUE.*

LIRA BIEN QUI LIRA LE DERNIER…

Boomerang
Éditeur jeunesse

www.boomerangjeunesse.com
info@boomerangjeunesse.com